CB141897

ALBERTO DELL'ISOLA

MENTES FANTÁSTICAS

São Paulo
2016

UNIVERSO DOS LIVROS

© **2016 by Universo dos Livros**
Todos os direitos reservados e protegidos pela Lei 9.610 de 19/02/1998.

Nenhuma parte deste livro, sem autorização prévia por escrito da editora, poderá ser reproduzida ou transmitida sejam quais forem os meios empregados: eletrônicos, mecânicos, fotográficos, gravação ou quaisquer outros.

Diretor editorial
Luis Matos

Editora-chefe
Marcia Batista

Assistentes editoriais
Aline Graça
Letícia Nakamura

Preparação
Cássio Yamamura, Júlia Yoshino e Mariane Genaro

Revisão
Saulo Alencastre, Plínio Zúnica e Geisa Oliveira

Arte
Francine C. Silva
Valdinei Gomes

Capa
Zuleika Iamashita

Consultoria técnica
Ricardo Kossatz

Dados Internacionais de Catalogação na Publicação (CIP)
Angélica Ilacqua CRB-8/7057

D417m
Dell'Isola, Alberto

Mentes fantásticas / Alberto Dell'Isola. – São Paulo : Universo dos Livros, 2016.
224 p.

ISBN: 978-85-7930-951-9

1. Hipnose 2. Mnemônica 3. Memória – Desenvolvimento I. Título

15-1142 CDD 153.14

Universo dos Livros Editora Ltda.
Rua do Bosque, 1589 – Bloco 2 – Conj. 603/606
CEP 01136-001 – Barra Funda – São Paulo/SP
Telefone/Fax: (11) 3392-3336
www.universodoslivros.com.br
e-mail: editor@universodoslivros.com.br
Siga-nos no Twitter: @univdoslivros

SUMÁRIO

Dedicado a Valéria, meu grande amor, por me hipnotizar todos os dias!

Agradecimentos

A Adriane Galisteu, Fausto Silva, Jô Soares e Luciano Huck, por permitirem a divulgação de meu trabalho em seus respectivos programas de TV.

Ao Dr. Adriano Facioli, psicólogo, por me indicar alguns importantes elementos da perspectiva behaviorista em relação ao fenômeno hipnótico.

À Dra. Ana Alvarez, pelo apoio constante em minha carreira e pela amizade.

À Dra. Carmen Flores, professora e pesquisadora da UFMG, por incentivar minha iniciação científica.

Aos amigos Edmo Magalhães, Eduardo Costa e Pierluigi Piazzi, pelo incentivo e amizade.

Aos amigos Dra. Mariah Brochado, Dr. Renato César Cardoso e Dr. Túlio Vianna, pesquisadores da Faculdade de Direito da UFMG, pela amizade e pelo contínuo suporte na minha carreira acadêmica.

Ao hipnólogo Fábio Puentes, por apresentar a hipnose a mim e a todo o Brasil.

A Henrique Athayde, pela imensa ajuda com bibliografia desde o início da minha carreira.

Ao Dr. Lair Ribeiro, grande nome da Programação Neurolinguística (PNL) no Brasil, pelos conselhos e incentivo ao lançamento dos meus livros.

Ao Dr. Orestes Diniz, professor e pesquisador do Departamento de Psicologia da UFMG, pelas dicas e orientação em psicoterapia e hipnose.

A Ricardo Kossatz, pela consultoria e revisão técnica acerca dos temas abordados neste livro.

A Sean Michael Andrews, o hipnotista mais rápido do mundo, pela paciência em tirar sempre todas as minhas dúvidas técnicas sobre hipnose.

Ao Sistema Carrier de Ensino de Belo Horizonte, pelo suporte no começo de tudo.

Prefácio

A publicação de *Mentes Fantásticas*, trabalho feito a partir de uma pesquisa (que resultou nos títulos anteriores publicados pelo autor, primeiro em *Mentes Geniais* e depois *Mentes Brilhantes*) de Alberto Dell'Isola, será bem recebida não somente no meio acadêmico, como também pelos leigos e curiosos que apreciam e acompanham as novidades relacionadas à nossa mente e ao seu desempenho.

É curioso como o interesse público na hipnose tem seus altos e baixos. Suas críticas geralmente se baseiam em informações inadequadas. Isso se deve, em parte, à mídia popular, que transmite às pessoas uma ideia totalmente equivocada sobre a hipnose. O que vemos em palcos e programas de auditório é criado para estimular os espectadores, despertando sua curiosidade para o feito em si. Às vezes, até demonstram bem os fenômenos hipnóticos, mas de modo que não deixam claro como a hipnose real pode ser utilizada em diferentes aspectos.

A hipnose sempre foi considerada um tema bastante misterioso. Tem sido fonte inesgotável para tramas populares de filmes, histórias em quadrinhos e programas de TV. Infelizmente, isso representa que as pessoas com alguma compreensão do assunto não tiveram sua aprendizagem baseada em fatos, mas em algo destinado ao entretenimento. Dessa forma, não terão uma ideia exata do que é a hipnose.

Neste livro, embarcaremos em uma jornada de descoberta, olhando para a verdade por trás dela e descobrindo o que é e o que não é real. No entanto, é principalmente a personalidade de Alberto Dell'Isola que faz deste um livro tão atrativo e de fácil leitura. A compreensão do autor acerca do tema, junto de seu *joie de vivre*, aflora ao longo de toda a obra. Isso torna mais fácil e prazerosa a leitura do livro, de forma que mesmo as passagens mais eruditas podem ser lidas sem grandes esforços. O autor faz referência a brilhantes trabalhos escritos neste último século, o que coloca o estudo do fenômeno hipnótico sobre uma base muito mais firme.

É possível afirmar, por fim, que este trabalho terá condições de mostrar o valor da hipnose, tanto para fins terapêuticos – em áreas como saúde e comunicação – como forma de diversão. Este livro vai produzir uma demanda muito mais ampla do emprego das técnicas de hipnose e certamente servirá de inspiração para novas pesquisas sobre o assunto. Desde Mesmer até os dias de hoje, muita água passou por baixo da ponte da hipnose.

Obrigado, Alberto, pela confiança em mim depositada para escrever este prefácio.

Fábio Puentes

1. Introdução

"Sou um mentiroso, um trapaceador e um charlatão, mas pelo menos eu sei disso."
James Randi, ilusionista

O início

Se tomar a pílula azul, a história acaba e você acordará na sua cama acreditando no que quiser acreditar. Se tomar a pílula vermelha, ficará no País das Maravilhas e eu te mostrarei até onde vai a toca do coelho. Lembre-se: tudo o que ofereço é a verdade, nada mais.
– Morpheus, personagem do filme *Matrix* (1999)

Neste momento, me sinto como Morpheus, personagem do filme *Matrix* (1999). Tudo o que lhe ofereço são os fatos. Aliás, a maioria das pessoas certamente irá preferir continuar com suas vidas ingênuas, acreditando naquilo em que opta acreditar: na toalhinha milagrosa capaz de ressuscitar os mortos, na fronha mágica dos sonhos, na garrafada de Exu que traz a pessoa amada de volta, ou até mesmo no poder das canetas abençoadas para aprovação em concursos públicos.

No entanto, ainda que possa ser reconfortante acreditar nos feitos sobrenaturais de todos esses badulaques, nada justifica a fortuna que vários líderes espirituais têm obtido com a fé alheia. Ainda que o charlatanismo[1] e o curandeirismo[2] sejam crimes tipificados em nosso Código Penal, todos temem tomar alguma atitude em relação a isso. As razões são várias. A primeira delas é o receio, por parte de alguns políticos, de perder o apoio de líderes religiosos e dos muitos eleitores diariamente enganados em centros religiosos. Outro motivo é o medo de combater tais fraudes, sob o argumento de que uma ação do tipo afrontaria o princípio da liberdade religiosa.

1 Art. 283 do CP – Inculcar ou anunciar cura por meio secreto ou infalível.

2 Art. 284 do CP – Exercer o curandeirismo:
I – prescrevendo, ministrando ou aplicando, habitualmente, qualquer substância;
II – usando gestos, palavras ou qualquer outro meio;
III – fazendo diagnósticos.

Assim, se você deseja entender como se dá o processo por trás do charlatanismo de algumas seitas, recomendo que prossiga com a leitura. Caso contrário, pode simplesmente fechar este livro e continuar sendo enganado. Lembre-se: tudo o que lhe ofereço são os fatos, nada mais.

Já leu o horóscopo hoje?

Em 1948, o psicólogo americano Bertram Forer conduziu um experimento no qual se aplicou um teste de personalidade em um grupo de 39 estudantes universitários. Uma semana após a realização dos testes, ele entregou a cada aluno uma descrição de sua personalidade, supostamente redigida baseando-se nos dados coletados no teste. Após lerem seus resultados, os alunos foram convidados a avaliar a precisão de seus perfis em uma escala de zero a cinco, em que zero indicava que o perfil não tinha nada a ver com a personalidade do sujeito e cinco, que a análise havia sido perfeita. Os resultados foram impressionantes. A pontuação média foi 4,26, o que significa que a maioria dos alunos considerou o laudo muito bem elaborado e condizente com sua verdadeira personalidade. Aliás, apenas 12,5% dos alunos classificaram seus laudos com uma nota abaixo de 4,0 ("muito preciso") e nenhum deles marcou menos do que 2,0 ("média precisão"). Veja a seguir algumas das avaliações do laudo recebido pelos alunos:

"Surpreendentemente preciso e específico."
"Na mosca!"
"Muito bom. Queria que você tivesse dito mais."
"Escrito diretamente para mim: não haveria como uma resposta geral se encaixar com tanta perfeição em minha personalidade."

Os resultados do experimento parecem provar que se trata de um instrumento incrível para a avaliação da personalidade das pessoas. No entanto, existe um pequeno detalhe acerca de sua condução: após aplicar o teste, Forer nem o corrigiu. Na verdade, baseando-se em declarações genéricas tiradas de um livro de astrologia, comprado em uma banca de revistas, Forer criou um único laudo e entregou cópias do mesmo para todos os alunos. Veja algumas das declarações contidas no laudo:

Você tem uma grande necessidade de que as outras pessoas gostem de você e o admirem.

Você tem uma tendência a ser muito exigente consigo mesmo.

Você possui um grande potencial ainda a ser explorado.

Normalmente, você é uma pessoa feliz. No entanto, às vezes, por motivos que não entende, fica um pouco deprimido.

O teste original de Forer já foi replicado dezenas de vezes até hoje, e a média de classificação continuou em torno de 4,2 pontos. Esse experimento identifica um princípio psicológico fascinante e surpreendentemente universal que move uma indústria multibilionária no mundo inteiro: as pessoas têm a tendência de se identificar bastante com afirmações genéricas a respeito de suas personalidades. A essa tendência, denominou-se "Efeito Barnum", também conhecido como "Efeito Forer".

Em seus experimentos, Forer descobriu algo ainda mais interessante: quanto mais informação pessoal o indivíduo compartilhava de maneira voluntária com o aplicador do teste, melhor ele classificava a qualidade do laudo recebido posteriormente. Em outro experimento realizado na Universidade do Kansas, os voluntários foram separados em três grupos. O primeiro grupo foi recebido por um suposto astrólogo, que perguntou a data exata de nascimento de cada participante (dia, mês e ano). No segundo grupo, o astrólogo perguntou apenas o mês e o ano em que cada um deles nasceu. Finalmente, o terceiro grupo não passou qualquer informação ao astrólogo. Em seguida, cada participante recebeu laudos idênticos, mais uma vez supostamente baseados nas informações fornecidas pelos participantes. Como você deve imaginar, as médias das notas de cada grupo foram bem diferentes.

Aqueles que não revelaram nenhuma informação sobre si mesmos deram uma nota média de 3,24. Já os que forneceram apenas o mês e o ano de seu nascimento deram uma nota média um pouco maior: 3,76. Finalmente, aqueles que divulgaram a data de nascimento de maneira mais precisa deram a maior nota média: 4,38. Em outras palavras: a precisão da leitura astrológica teria mais relação com o que a pessoa revelava do que com explicações do astrólogo. Assim, se os videntes quiserem aumentar seus superpoderes durante as sessões, basta que deixem seus clientes falarem mais – ainda que esse discurso não tenha nenhuma relação específica com o laudo final da "leitura paranormal".

Como deve ter percebido, em sessões do gênero, o ideal é que os laudos redigidos tenham informações muito genéricas. No entanto, ainda que existam imprecisões, muitas vezes elas não comprometem em nada a entrevista. Isso se deve a um fenômeno conhecido como "viés da confirmação", caracterizado pela lembrança seletiva das declarações corretas, esquecendo eventuais erros. Além disso, elogios moderados costumam ser mais atraentes do que bajulação excessiva ou críticas severas. Assim, ainda que a generalidade das respostas seja fundamental para o sucesso das entrevistas, existe algo ainda mais importante: as pessoas simplesmente querem acreditar.

James Randi e o desafio de 1 milhão de dólares

Diante da elevada credulidade da maioria das pessoas, um pequeno grupo de pesquisadores passou a colocar os supostos poderes paranormais de videntes sob investigação. Dentre eles, destaca-se o ilusionista James Randi.

Randall James Hamilton Zwinge nasceu em Toronto, em 1928. Quando tinha 12 anos, assistiu a uma apresentação de um ilusionista americano chamado Harry Blackstone. Após a apresentação, o pequeno Randall ficou em êxtase: "Qual seria o segredo por trás de todos aqueles truques?". Obstinado em descobrir os enigmas do mundo do ilusionismo, o jovem Randall passou a estudar profundamente as artes secretas da magia. Aos 15 anos, em uma igreja espiritualista local, ele presenciou uma cena que mudaria sua vida para sempre: membros da congregação eram encorajados a levar envelopes lacrados, contendo perguntas dirigidas aos entes queridos já falecidos. Durante o culto, Randall descobriu que os ministros liam em segredo os envelopes e criavam cartas contendo uma suposta resposta do falecido. Indignado, Randall decidiu expor o charlatanismo do ministério e terminou o dia em uma delegacia de polícia local.

Inabalável, Randall deixou crescer o cavanhaque e mudou seu nome para James "O Incrível" Randi. Desde então, Randi tornou-se um célebre ilusionista e escapista, tendo participado de uma série de desafios, dentre os quais poderíamos destacar a permanência em um caixão de metal selado por 104 minutos (quebrando o recorde do grande Houdini em pouco mais de dez minutos), a escapada de uma camisa de força, enquanto pendurado de cabeça para baixo na queda do rio Niágara, e até mesmo sua participação nas frequentes decapitações do cantor Alice Cooper em seus shows! Paralelamente à sua carreira como ilusionista, Randi deu continuidade à sua cruzada contra os charlatões. Em 1998, após vários anos de combate ao misticismo e à pseudociência, ele lançou um desafio para os supostos videntes: o prêmio de um milhão de dólares para quem fosse capaz de provar seus poderes paranormais em condições controladas. O desafio foi lançado há mais de dez anos e, até hoje, ninguém conseguiu passar dos testes preliminares.

Alguém poderia argumentar: "Os testes fracassam porque os fenômenos paranormais são erráticos", ou seja, não se pode saber quando vão se apresentar. Ora, se são erráticos, por que acontecem no exato momento da consulta mediúnica? Ao escrever este livro, jamais tive a intenção de opinar sobre a possibilidade de existência de fenômenos que ainda não possuem explicação científica. Na verdade, meu objetivo é alertar sobre as artimanhas utilizadas por vários líderes espirituais para enriquecer de maneira ilícita.

O uso do efeito Forer, em associação a outros elementos, como a busca por informações fornecidas pelo inconsciente do cliente e um pouco de encenação, descrevem uma habilidade conhecida como "leitura fria". É devido a essa habilidade que muitos supostos paranormais parecem ser capazes de ler a mente das pessoas, prever o futuro e até mesmo se comunicar com os mortos.

Muitos líderes religiosos utilizam numerosas técnicas para enganar seus fiéis: hipnose, leitura fria e até mesmo mnemônica são algumas delas. Todas essas técnicas serão descritas ao longo deste livro. Por enquanto, podemos dizer que elas funcionam devido a seis princípios básicos:

- O efeito Forer
- O efeito de Lake Wobegon
- O viés da confirmação
- A busca por padrões e sentido
- Correlação *versus* causalidade
- O efeito Fox Mulder

O efeito Forer já foi descrito nos parágrafos anteriores. Vejamos agora os outros princípios.

As armadilhas de nosso pensamento

O efeito de Lake Wobegon

Nos anos 1980, o humorista americano Garrison Keillor criou uma cidade fictícia chamada Lake Wobegon. Ao descrever os habitantes dessa cidade inventada, Keillor observou que nela "todas as mulheres são fortes, todos os homens são bonitos, e todas as crianças são superdotadas". Apesar de ter sido escrito em tom de brincadeira, o comentário de Keillor reflete um princípio psicológico fundamental, atualmente conhecido como o "efeito de Lake Wobegon".

É parte de nossa rotina tomar decisões racionais: a resposta correta em uma prova de múltipla escolha, a forma mais adequada para investir nosso dinheiro, a escolha por uma carreira, dentre outras. No entanto, sob certas circunstâncias, nosso cérebro nos engana e simplesmente abandonamos a lógica.

Psicólogos descobriram que uma das principais causas dessa irracionalidade é a existência de um fenômeno chamado "viés egocêntrico". Todos nós possuímos uma autoestima extremamente frágil e, no inconsciente, utilizamos várias técnicas para nos proteger da dura realidade do mundo concreto. Dessa maneira, somos especialistas em convencer a nós mesmos de que somos perfeitos e de que a culpa é sempre dos outros. Esse é o motivo pelo qual, por exemplo, jogadores profissionais de pôquer culpam uma "mão ruim" pelo fracasso na final de algum campeonato. É também a razão pela qual os pais corujas insistem em relatar sobre a genialidade de seus filhos durante a execução de atividades extremamente comuns, como desenhar ou falar.

É um fenômeno que já foi observado incontáveis vezes. Em uma pesquisa, procurou-se identificar o viés egocêntrico nas relações amorosas estáveis. Para tanto, cientistas pediram para homens e mulheres casados estimarem, isoladamente, a porcentagem de trabalho doméstico realizado por cada um deles. Após a soma das porcentagens dos casais, praticamente todos os pares obtiveram um total muito superior a 100%. Ou seja, cada participante mostrou um viés egocêntrico, minimizando a contribuição do parceiro e exagerando na sua própria contribuição na execução das tarefas domésticas.

Na maior parte das vezes, essa soberba é muito benéfica em nosso dia a dia, já que ela nos dá forças para trabalhar e até mesmo nos relacionar amorosamente. Afinal, não fosse esse viés egocêntrico, jamais conseguiríamos lidar com nossos erros diários: o fracasso no vestibular, o erro que nos custou uma demissão, o atraso na chegada ao trabalho, entre outros. Sem esse fenômeno, aliás, não teríamos sequer coragem de flertar com uma pessoa que nos agradasse.

"Porque muitos são os chamados, e poucos os escolhidos."
Mateus 22:14

Em cultos religiosos, aplica-se com certa frequência uma interpretação bastante distorcida do trecho bíblico acima para se utilizar do viés egocêntrico e angariar mais fiéis. Ora, qualquer pseudointelectual sabe que a Bíblia jamais fez menção a qualquer Igreja cristã específica. No entanto, vários líderes aproveitam-se do trecho acima para massagear o ego de seus membros: "Vocês são especiais por estarem aqui".

Os videntes fazem algo semelhante. Em consultas, sempre iniciam a análise com algum elogio extremamente genérico: "Você é um gênio criativo", "possui a aparência de durão, mas guarda um coração de ouro", "consegue ler as pessoas como ninguém", "seu maior defeito é ser perfeccionista" são apenas alguns exemplos desses elogios.

O viés da confirmação

Imagine que você está grávida. Desde a confirmação da gravidez, você constata que várias amigas estão simultaneamente grávidas. Em seguida, descobre que sua cantora favorita e a apresentadora do jornal também estão grávidas. Seria indício de um surto de gravidez?

Nada disso. Você acaba de ser vítima do viés da confirmação. A partir do dia em que descobriu a gravidez, você recebeu várias informações diferentes: casamentos, traições, mortes, assassinatos e inclusive notícias de algumas celebridades que engravidaram. No entanto, com exceção das informações que envolviam gravidez, todas as outras foram simplesmente descartadas.

Fenômeno semelhante acontece quando escutamos que algum amigo acaba de comprar um carro novo. Ao perguntar sobre o modelo, ele menciona um nome que você jamais ouvira falar. Após conhecer o carro, você começa a reparar na enorme quantidade de carros desse modelo que existe nas ruas. Ainda que sua impressão seja a de que a invasão desse modelo específico tenha acontecido apenas após seu amigo ter comprado o carro, as ruas sempre estiveram cheias de todos os modelos. No entanto, após conhecer esse modelo específico, você passou a observá-lo com mais frequência.

O viés da confirmação atrapalha até mesmo o avanço científico: não são raras as vezes em que cientistas estabelecem hipóteses e alteram ao máximo seus experimentos para de alguma forma confirmá-las.

Nas redes sociais também é muito fácil constatar o viés da confirmação. Partidários do PSDB com frequência postam notícias que indicam a corrupção de algum partidário do PT. Em contrapartida, partidários do PT com frequência postam notícias que envolvem a corrupção de algum partidário do PSDB. Aliás, aproveitando-se desse fenômeno, políticos muitas vezes criam discursos repletos de frases vagas, ambíguas e até mesmo contraditórias, confiando no fato de que a maioria dos eleitores prestará atenção apenas no que deseja ouvir. Note alguns exemplos de frases comumente encontradas em discursos políticos:

- "É preciso ter coragem para avançar, mas sem esquecer as nossas tradições."
- "É preciso reconhecer o direito de greve dos trabalhadores, mas também é preciso reconhecer que as empresas precisam voltar a funcionar o quanto antes."
- "Devemos louvar a pacificidade dos manifestantes nos protestos populares ocorridos ontem. Além disso, o caráter pacífico das manifestações também evidenciou o correto tratamento dado pela segurança pública à livre manifestação popular. No entanto, infelizmente aconteceram também atos minoritários de violência contra pessoas e contra os patrimônios público e privado que devemos condenar e coibir com vigor."

Imagino que a política contenha os maiores exemplos de uso do fenômeno da confirmação para a manipulação popular. Contudo, tal manipulação não é exclusividade dos políticos. É comum que as pessoas recorram ao mesmo fenômeno também para gerar falácias. Certa vez, vi compartilhada em uma rede social a seguinte notícia: "Mais um casal homossexual abusa sexualmente de seu filho adotivo". A chamada da notícia já indica o viés da confirmação. Ocasionalmente, a mídia expõe algum caso de pedofilia praticada por heterossexuais, no entanto, devido ao viés da confirmação, chama mais atenção a existência de um casal homossexual pedófilo. Provavelmente porque os divulgadores da notícia já são pessoas contra a adoção de crianças por casais homoafetivos.

Em tempos de auge da teologia da prosperidade, não são raras as vezes em que alguém é vítima do viés da confirmação nos cultos: "Fulano ficou milionário após entrar em nossa Igreja". Aliás, em meio a uma amostragem de milhares de membros, nada mais razoável que alguns novos milionários sejam encontrados. Com amostragem semelhante, conseguiríamos mostrar que qualquer congregação é capaz de atingir não apenas a prosperidade, mas qualquer outro elemento, como perda/ganho de peso, aprovação/reprovação em concursos etc. Aliás, encontrar pessoas abastadas nas igrejas não é uma tarefa muito difícil. Difícil mesmo é conseguir explicar como Jesus pregava esse tipo de teologia financeira.

Em consultas místicas, o mesmo viés surge, mas com uma roupagem diferente. "Fulano recuperou a pessoa amada após banhar-se com a garrafada". Ora, pessoas reencontram amores todos os dias! Qual a garantia de a garrafada ser a verdadeira responsável pelos acontecimentos em questão? Nenhuma, como você deve imaginar.

A pior consequência do viés da confirmação é que, de alguma forma, ele inibe a racionalidade: tornamo-nos incapazes de encarar os fatos, por mais claros que eles estejam.

A busca por padrões e sentido

Na década de 1970, a NASA lançou duas espaçonaves chamadas "Viking 1" e "Viking 2" em missões a Marte. Durante as missões, elas fotografaram a superfície do planeta explorado e enviaram as imagens para a NASA. Uma dessas fotos ficou muito famosa e se encontra na sequência:

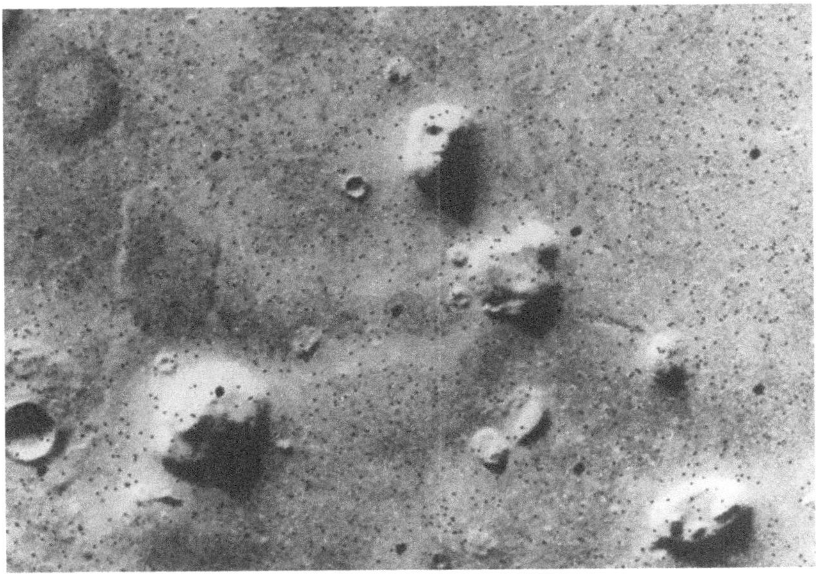

Viking 1 Orbiter, image F035A72 (Viking CD-ROM Volume 10)

Após a divulgação da foto, surgiram várias teorias conspiratórias afirmando que o planeta Marte seria habitado e que esse suposto rosto humano seria uma construção de seus habitantes. Com o passar dos anos, tais teorias conspiratórias foram ganhando tanta notoriedade que até se transformaram em um livro, lançado em 1987: *The monuments of Mars:* a city on the edge of forever, de Richard Hoagland.

Carl Sagan, cientista, escritor e divulgador científico norte-americano costumava dizer: "Alegações extraordinárias exigem provas extraordinárias". No entanto, a única pretensa prova que Hoagland possuía era o suposto rosto encontrado na foto de Marte.

Posteriormente, observou-se que se tratava apenas de um engano. Veja fotos mais recentes do "rosto":

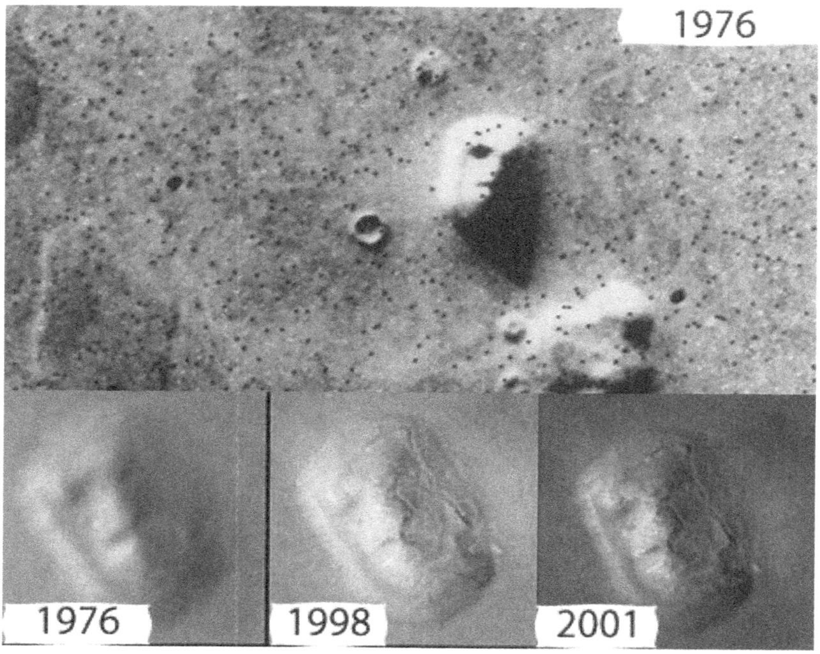

Reprodução/Viking 1 Orbiter, image F035A72 (Viking CD-ROM Volume 10)

O ser humano tem uma tendência natural de buscar padrões e sentido em tudo aquilo que observa. No livro *Paranormality:* why we see what isn't there, o psicólogo Richard Wiseman fornece um excelente exemplo sobre a busca de padrões e sentido.

Veja o símbolo abaixo:

Se a letra "A" é colocada à esquerda desse símbolo e a letra "C", à direita, a maioria das pessoas não terá nenhum problema em interpretar esse símbolo como um "B":

No entanto, se o número "12" for colocado logo acima desse símbolo e o número "14", logo abaixo, o símbolo misterioso muda sua forma para o número "13":

Por fim, seria possível colocar as letras "A" e "C" à esquerda e à direita do símbolo e os números "12"e "14", acima e abaixo, respectivamente. Neste último exemplo, o símbolo se converte ao mesmo tempo em "B" ou "13", de acordo com o foco de sua atenção:

Esse exemplo ilustra uma peculiaridade fundamental na percepção humana: dado o contexto certo, as pessoas são inconscientemente hábeis em atribuir sentido a símbolos ou formas inteiramente desprovidas de sentido. Esse é o mesmo princípio que predispõe as pessoas a ver todos os tipos de imagens em manchas de tinta, nuvens e pedaços de comida, por exemplo. Veja a seguir alguns casos; basta olhar para essas formas aleatórias por determinado tempo para que, de repente, rostos comecem a surgir.

Este sanduíche de queijo, com mais de dez anos de idade, foi vendido em leilão por 28 mil dólares (mais de 50 mil reais) porque as pessoas viam o rosto da Virgem Maria em sua superfície tostada.

A foto deste cão foi colocada no site petfinder.com e fez o maior sucesso na internet, porque o animal teria feições humanas.

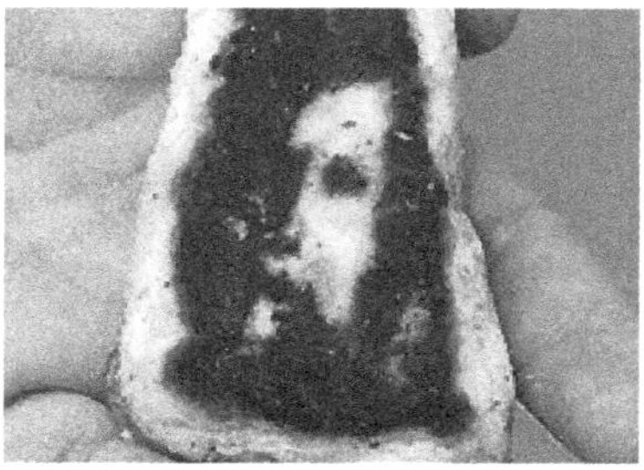

Esta torrada supostamente possui o rosto de Jesus Cristo.

Esta frigideira também seria mais uma aparição de Jesus Cristo.

Imagens: reprodução

Esse fenômeno que relaciona a atribuição de sentido a imagens aparentemente desconexas não é nada novo. Nos anos 1970, um cientista chamado Naftulin Donald e seus colaboradores fizeram um experimento na tentativa de reproduzir esse efeito em laboratório. Para tanto, Naftulin elaborou uma palestra absolutamente sem sentido sobre a relação entre a matemática e o comportamento humano. Em seguida, instruiu um ator para que estudasse de forma exaustiva o texto da palestra e pudesse, depois, apresentá-lo a um público composto apenas por psicólogos, psiquiatras e assistentes sociais, em um renomado congresso sobre educação. Antes da apresentação, Naftulin (um cientista com bastante credibilidade) apresentou o ator como "Dr. Myron L. Fox" e resumiu sua impressionante, mas totalmente fictícia, carreira acadêmica. Após a devida apresentação, o público foi bombardeado por uma hora e meia de declarações completamente sem sentido ou contraditórias, e até mesmo repletas de neologismos. Ao fim da apresentação do "Dr. Fox", Naftulin entregou um questionário e pediu a todos da plateia que avaliassem a palestra.

Da mesma forma que você viu um símbolo sem sentido há alguns parágrafos, mas interpretou como a letra "B" ou o número "13", o público do congresso extraiu muito sentido e sabedoria das tolices ditas pelo "Dr. Fox". Veja algumas estatísticas baseadas na avaliação dos presentes:

- 85% do público classificou a palestra como extremamente bem organizada.
- 70% do público elogiou o uso de exemplos e sua apresentação.
- 95% do público achou a palestra extremamente agradável e estimulante.

Ainda que seja interessante avaliar esse fenômeno em laboratório, não precisaríamos de tanto esforço para identificar tal curiosidade do pensamento humano. Aliás, foi a nossa capacidade de visualizar padrões que nos permitiu criar os famosos *emoticons*: ícones da internet, criados para expressar emoções em âmbito on-line.

Emoticon	Expressão representada
[-(	De mal
:-)	Alegre
:-X	Apaixonado
;-)	Piscadinha
:-D	Sorriso amarelo
>:P	Mostrando a língua
:-/	Confuso
:”>	Envergonhado
:P	Cara de sapeca
:-*	Beijo
=((	Coração partido
:-O	Chocado
:-((	Chorando
:-))	Gargalhando

A habilidade em enxergar sentido em formas aleatórias é tão fantástica que é até possível criar uma foto apenas com o uso de mosaicos. Note o seguinte exemplo: uma imagem de Jimi Hendrix gerada por centenas de cubos de Rubik (cubo mágico).

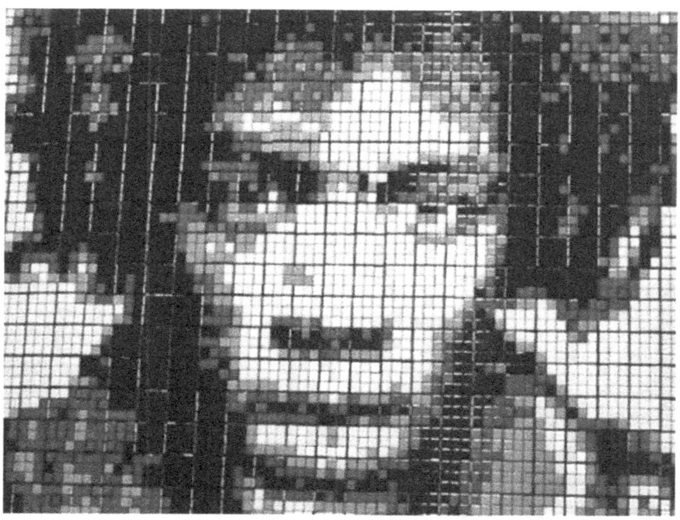

Reprodução/Philipe3d's Bucket/Mundo Gump 2

Correlação *versus* causalidade

Uma maneira de testar hipóteses é por meio da pesquisa correlacional. Abordagens correlacionais medem a relação entre variáveis diferentes. A maneira com a qual as variáveis se relacionam entre si pode sugerir o quanto duas variáveis são semelhantes ou distintas, além de identificar se uma variável pode ser usada para prever a outra. Por exemplo, suponha que exista alguma correlação entre a nota do vestibular e um bom desempenho acadêmico. Nesse caso, poderíamos prever que os alunos mais bem avaliados no vestibular teriam maior sucesso acadêmico. É importante ressaltar que aqueles que realizam pesquisas correlacionais não costumam ter controle sobre as variáveis estudadas; eles simplesmente as medem.

Quando os pesquisadores examinam a relação entre duas ou mais variáveis, eles podem medir a força e o sentido da relação entre elas e realizar um cálculo estatístico, chamado de coeficiente de correlação. Os coeficientes de correlação podem variar de 1,0 a -1,0. O valor absoluto do número (o número em si, sem o sinal positivo ou negativo) indica a intensidade do elo entre as duas variáveis; quanto maior for, mais forte será a associação entre as duas variáveis. O coeficiente (positivo ou negativo) indica o sentido da relação: um coeficiente de correlação positiva indica que, quando uma variável aumenta, o mesmo acontece com a outra; por outro lado, um coeficiente de correlação negativa indica que, quando uma variável aumenta, a outra diminui.

Para ilustrar, temos o gráfico a seguir,[3] que indica uma correlação positiva entre a temperatura ambiente e a quantidade de bebidas geladas vendida. Quanto mais quente o dia, mais bebidas geladas são vendidas.

3 KASSIN, S.; FEIN, S.; MARKUS, H. R. *Social Psychology*. Stanford: Cengage Learning, 2013.

Correlação positiva

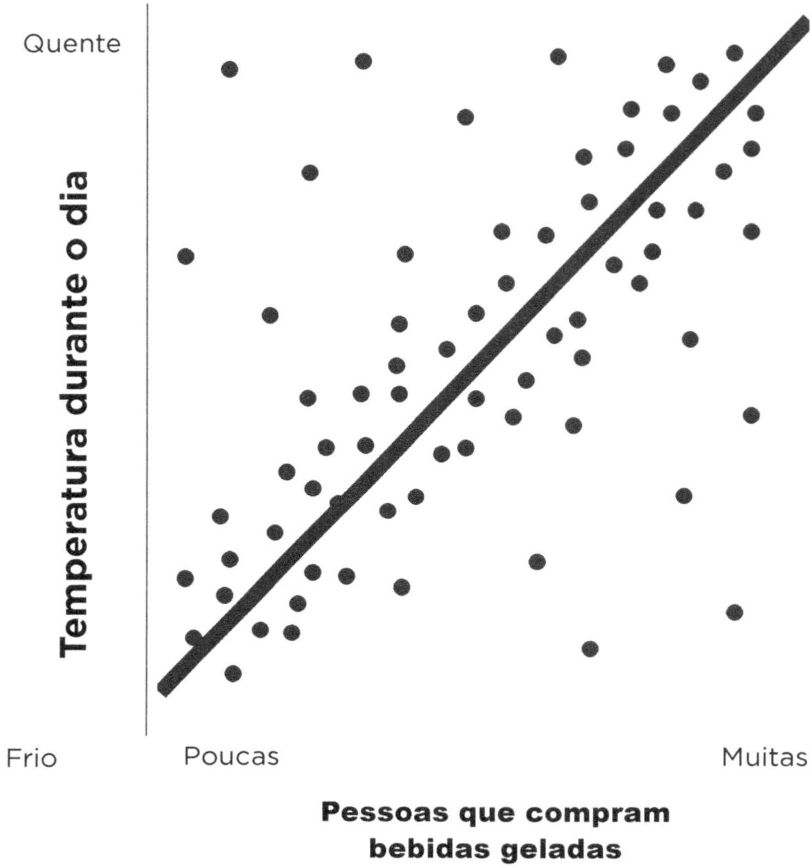

Por outro lado, nota-se uma correlação negativa entre a temperatura ambiente e o número de pessoas que vestem suéteres. Quanto mais quente, menos pessoas vestem suéteres.

Correlação negativa

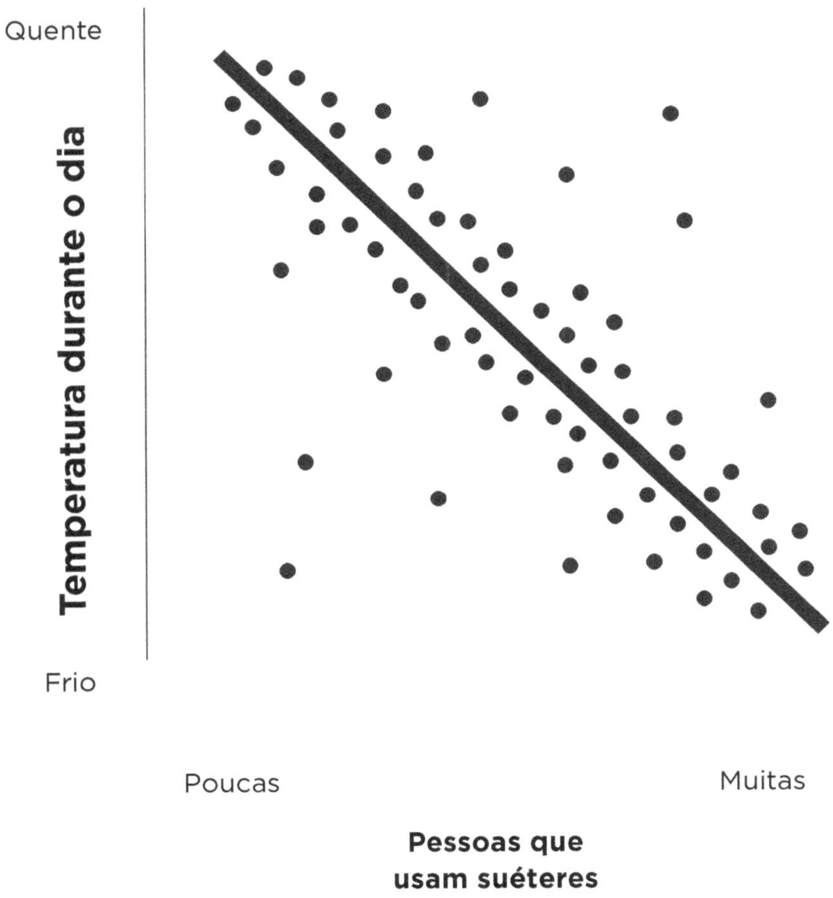

Porém, se fôssemos avaliar, por exemplo, a correlação entre a temperatura ambiente e o número de pessoas que têm soluços, não encontraríamos nenhum tipo de correlação.

Sem correlação

Estudar as correlações entre duas ou mais variáveis é de suma importância na ciência. Apesar disso, a pesquisa correlacional apresenta uma desvantagem muito séria: **correlação não é causalidade**.

Em outras palavras, a correlação não indica necessariamente alguma relação de causa e efeito. Suponha que temos uma variável **A** com alta correlação positiva com uma variável **B**. Neste caso, podemos presumir três possibilidades para a causalidade:

- A variável **A** causa a variável **B**.
- A variável **B** causa a variável **A**.
- Uma terceira variável **C** poderia ser a causa de **A** e **B**.

Imagine que o número de horas de sono de uma pessoa esteja negativamente correlacionado com o número de resfriados que ela tem. Isso pode ter três significados de causalidade diferentes:

- A falta de sono torna as pessoas mais vulneráveis a resfriados.
- Pessoas que estão com resfriado têm mais dificuldade para dormir.
- Outra variável (**C**) é a causa dos resfriados e da falta de sono. Essa terceira variável pode ser estresse.[4]

Além disso, existe a possibilidade de todas essas relações de causalidade acontecerem ao mesmo tempo. Vamos a outro exemplo: o hormônio da oxitocina. A oxitocina é conhecida de maneira popular como "o hormônio do amor", pois existe uma correlação positiva alta entre os níveis desse hormônio e o nosso bem-estar decorrente da proximidade com pessoas queridas. Supondo que não exista uma terceira variável envolvida, teríamos duas relações de causalidade possíveis:

- A proximidade com as pessoas que amamos aumenta os níveis do hormônio.
- O aumento dos níveis do hormônio eleva nosso bem-estar ao estarmos próximos das pessoas que amamos.

Pesquisas indicam que as duas relações de causalidade acontecem concomitantemente. Ou seja, o fato de estarmos felizes eleva nossos níveis de oxitocina. Por outro lado, o aumento dos níveis desse hormônio (ainda que por meio da ingestão) eleva a sensação de felicidade. Na natureza, é normal haver a mistura de causa e efeito.

Todas as limitações acerca dos estudos correlacionais não indicam que eles são dispensáveis. Na verdade, é importante estudar todas as correlações, com cautela, de modo a melhor avaliar tais relações.

Coincidências

Coincidências não faltam na vida cotidiana. Elas nos confundem e nos surpreendem. Aliás, muitas delas são até mesmo perturbadoras e irritantes. Antes de prosseguir, é importante definir o significado da palavra "coincidên-

4 KASSIN, S.; FEIN, S.; MARKUS, H. R. *Social Psychology*. Stanford: Cengage Learning, 2013.

cia". Chamamos de coincidência a ocorrência de dois acontecimentos percebidos como significantemente relacionados, mas sem nenhuma conexão causal aparente.

Quem nunca passou pela experiência de estar pensando em alguém que não encontra há muito tempo quando, então, de forma mágica, o telefone toca e quem está ligando é essa pessoa? Outra coincidência fascinante é, durante uma viagem a um local muito longínquo, encontrar um amigo ou até mesmo um parente por lá. Coincidências do tipo acontecem todos os dias e costumam ser superestimadas pelas pessoas.

Outro caso de coincidência que nos intriga são as profecias. Dentre os ditos profetas, Nostradamus é um dos mais conhecidos. De acordo com a lenda, a primeira previsão de Nostradamus teria ocorrido na Itália. Na ocasião, o profeta teria se encontrado com um monge franciscano, denominado Felice Peretti, da província de Ancona. Ao passar pelo monge, Nostradamus se ajoelhou. Quando questionado sobre o que motivara sua reação, Nostradamus teria respondido: "Eu devo me submeter e ajoelhar diante de Sua Santidade". Em 1585, Felice Peretti se tornaria o papa Sisto V. No entanto, foi somente após a previsão da morte do Rei Henrique II que a fama de Nostradamus teria se estabelecido em definitivo:

O jovem leão vencerá o velho
No campo de batalha, num único combate
Trespassar-lhe-á os olhos
Na sua jaula de ouro
Duas feridas numa, padecerá de uma morte cruel.

A profecia se cumpriu quatro anos mais tarde, em 1559, quando Henrique, cujo emblema heráldico estampava um leão, traçou uma luta amigável com um jovem oficial de nome Montgomery, capitão da Guarda Escocesa do rei francês. A lança de Montgomery atravessou acidentalmente a viseira do elmo dourado que Henrique ostentava (a jaula de ouro), ferindo-o na vista e na garganta.

Dentre as profecias mais famosas de Nostradamus, as que se destacam são aquelas que em teoria faziam referência ao nazismo.

Bestas selvagens com fome vão cruzar os rios,
A maior parte da batalha será contra Hister.

Ele vai fazer com que grandes homens sejam arrastados em uma jaula de ferro,
Quando o filho da Germânia não obedecer nenhuma lei.

Da parte mais profunda da Europa Ocidental,
Do povo pobre uma jovem criança vai nascer,
Que com sua língua vai seduzir muitas pessoas,
Sua fama vai crescer no Reino Oriental.

Sem dúvida, profecias do gênero parecem incríveis demais para serem identificadas como meras coincidências. No entanto, todas as coincidências podem ser facilmente explicadas pela lei dos grandes números. Essa lei de probabilidade estatística foi proposta por dois professores de matemática de Harvard: Dr. Persi Diaconis e Dr. Frederick Mosteller.[5] Segundo ela, em amostras grandes o suficiente, até mesmo os fenômenos menos prováveis podem se tornar muito prováveis.

Quando uma mulher ganhou na loteria de Nova Jersey duas vezes em quatro meses, o evento foi amplamente divulgado como uma incrível coincidência que bateria as probabilidades de 1 em 17 trilhões. Quando analisado com cautela, contudo, descobriu-se que a chance de um evento como esse acontecer com algum apostador dos Estados Unidos era aproximadamente 1 em 30.

Para entender melhor esse fenômeno, vamos analisar as chances de alguém ganhar o maior prêmio da Mega Sena, a maior loteria do Brasil. A chance de um apostador acertar os seis números da Mega Sena com apenas um jogo é 1 em 50.063.860. No entanto, existem milhares de apostas em cada concurso, o que torna muito provável que alguma delas seja premiada.

A lei dos grandes números também acontece em várias seitas religiosas. Em tempos de teologia da prosperidade, é bastante comum encontrar numerosos testemunhos de fiéis que tiveram sua vida financeira completamente transformada após a filiação a uma igreja, centro espírita, terreiro ou sinagoga. A existência de milhares de fiéis em cada uma dessas instituições torna bastante provável que algum fiel tenha a sua vida transformada após se agremiar a determinadas instituições.

O mesmo vale para as profecias de Nostradamus. Quando ficamos maravilhados pelas profecias que supostamente se confirmaram, deixamos de lado outras milhares que eram completamente ambíguas ou sem sentido.

5 Disponível em http://www.math.northwestern.edu/~fcale/CCC/DC.pdf. Acesso em 6 de janeiro de 2016.

No início de cada ano, os canais de televisão são inundados pelas mais variadas previsões divinatórias. Ainda que a maioria delas jamais se concretize, a grande mídia focará em especial naquelas que, eventualmente, derem certo. O mesmo vale para as pequenas coincidências de nosso cotidiano. Faz parte de nossa rotina pensar em dezenas de pessoas. Em algum momento, devido à lei dos grandes números, uma dessas pessoas nos ligará no exato momento em que estivermos pensando nela.

Para ajudar na compreensão da lei dos grandes números, vamos a um último exemplo: imagine que você acaba de conhecer uma pessoa e descobre que ela faz aniversário no mesmo dia que você. As chances de isso acontecer são de 1 em 365, já que o ano tem 365 dias. Agora, suponha que você está em uma sala com 30 pessoas. Nesse caso, a chance de uma delas fazer aniversário no mesmo dia sobe para 101/125, ou seja, 80,8%. É óbvio que precisaríamos de 366 pessoas para termos 100% de chance de existir duas pessoas fazendo aniversário no mesmo dia. No entanto, 70 pessoas são suficientes para termos mais de 99% de chances de isso acontecer.

O efeito Fox Mulder

Arquivo X foi uma série de TV muito famosa nos anos 1990, que contava as aventuras de dois agentes especiais do FBI, Fox Mulder e Dana Scully, responsáveis por investigar os casos contidos no "arquivo X": casos não solucionados, envolvendo fenômenos paranormais.

Mulder acredita na existência de extraterrestres e de paranormalidade. Em contrapartida, Scully é cética e busca provas científicas que mostrem que tudo se trata de algum engano.

Em seu escritório, Mulder possui um cartaz com uma frase que se tornou muito famosa: ***I want to believe*** (eu quero acreditar). Essa frase explica muito daquilo que acreditamos ser sobrenatural: queremos acreditar. É mais confortável acreditar que nossas crenças são verdade do que simplesmente reconhecer que pode se tratar de algum engano de percepção. Para exemplificar, estão listados a seguir fenômenos tidos como sobrenaturais cujas provas residem sobretudo em nosso desejo de acreditar.

Tabuleiro Ouija

Em fevereiro de 1891, surgiu o seguinte anúncio nos jornais: "Ouija, o tabuleiro falante", que descrevia o objeto em questão como um dispositivo mágico que responderia a perguntas "sobre o passado, presente e futuro, com precisão admirável" e prometia "diversão garantida para todas as idades". O tabuleiro seria uma conexão entre "o conhecido e o desconhecido, o material e o imaterial". Outro anúncio em um jornal de Nova Iorque declarou que era "interessante, misterioso e verificado", já que o tabuleiro teria sido testado e aprovado pelo escritório de patentes norte-americano. O preço? Apenas US$1,50.

O tabuleiro Ouija era basicamente igual aos que são hoje vendidos nas lojas de brinquedos: um tabuleiro plano, com as letras do alfabeto dispostas logo acima dos números de 0 a 9, as palavras "sim" e "não" nos cantos superiores e a palavra "adeus" na parte inferior. O tabuleiro era ainda acompanhado de um indicador – um dispositivo em formato de gota, com uma pequena abertura em formato de círculo que exibia as letras, os números ou as palavras durante o uso do tabuleiro.

O funcionamento era bem simples: duas ou mais pessoas se reuniam em volta de uma mesa, colocavam os dedos sobre o indicador, faziam uma pergunta qualquer e assistiam, estupefatos, ao indicador percorrer cada letra, soletrando respostas, em teoria sozinho. A única diferença entre os tabuleiros Ouija do início do século XX e os vendidos hoje é o material: antigamente, todas as suas peças eram de madeira, enquanto hoje são todas de plástico ou papelão.

De acordo com a crença popular, o tabuleiro seria um meio de comunicação entre os humanos e espíritos. O mais interessante sobre o tabuleiro é que há muitas pessoas que zombam de qualquer fenômeno dito sobrenatural, mas ainda se recusam a usar um tabuleiro Ouija.

No Brasil, uma variação do Ouija tornou-se muito popular no início dos anos 1980: a brincadeira do copo.

A brincadeira do copo

Há uma explicação simples, mas intrigante, sobre o funcionamento do tabuleiro Ouija e suas inúmeras variações. É evidente que se o leitor preferir acreditar que os espíritos movem o indicador ou o copo, pode apenas saltar este trecho do livro. No entanto, se quiser uma explicação racional e menos especulativa, continue lendo.

Ao contrário do que se possa imaginar, não existem truques ou sabotagens por trás da brincadeira Ouija. Ou seja, o indicador ou o copo realmente se movem sem que seja necessário que algum dos participantes o mova de modo proposital. A explicação para essa brincadeira é um princípio fascinante, chamado "movimento ideomotor", que está também por trás de várias outras práticas divinatórias.

O princípio funciona da seguinte maneira: se você se concentrar na ideia de realizar um movimento, você provavelmente vai acabar fazendo algum pequeno movimento, ainda que não tome consciência disso. O mais interessante é que podemos até mesmo tomar conhecimento de que o movimento está acontecendo, no entanto, não estaremos cientes de que somos os verdadeiros responsáveis por ele. Claro que existem pessoas mais suscetíveis ao movimento ideomotor do que outras, porém, todos nós o vivenciamos em algum momento. Um exemplo muito comum é o espelhamento corporal durante uma conversa. Provavelmente, você já observou duas pessoas tão envolvidas em uma conversa que, em determinado momento, a posição de seus corpos fica idêntica, como um verdadeiro espelho. Outro exemplo é quando estamos muito envolvidos com um filme e, inconscientemente, inclinamos nosso corpo em direção ao aparelho de TV.

Este princípio foi utilizado pela primeira vez para desvendar alguns fenômenos tidos como inexplicáveis que tomaram conta do imaginário popular, no final do século XIX, nos EUA e no Reino Unido. Naquela época, era comum haver verdadeiros espetáculos envolvendo espiritualidade, com cadeiras flutuantes, comunicação com os mortos e ectoplasma. Essa onda de espiritualismo ganhou força com as irmãs Fox, que, em meados do século XIX, decidiram fazer uma brincadeira, na véspera do dia primeiro de abril: assustar a própria mãe, criando batidas supostamente espirituais em casa. A brincadeira fugiu ao controle das irmãs e, em pouco tempo, elas acabaram se tornando celebridades. No final de sua vida, uma das irmãs (Margaret Fox) chegou a assumir que tudo não passara de um truque. No entanto, já era tarde demais: o movimento já tinha ganhado autonomia e, ainda no final do século XX, não eram raras as vezes que víamos na TV alguém entortando talheres com a mente ou se comunicando com os mortos.

O mais interessante de brincadeiras como o tabuleiro Ouija é o surgimento de um verdadeiro ciclo hipnótico. Imagine que temos quatro pessoas utilizando o tabuleiro ao mesmo tempo. É provável que alguma delas movimente o indicador, devido ao movimento ideomotor, ainda que não tome ciência desse fato. Como consequência, todas as quatro pessoas vão perceber o deslocamento do indicador. A experiência tornará os participantes ainda mais suscetíveis ao fenômeno ideomotor, o que levará mais participantes a mover o indicador inconscientemente. Quanto mais as pessoas movimentarem-no inconscientemente, mais suscetíveis ao movimento elas estarão.

Nos capítulos sobre hipnose e mentalismo, falaremos um pouco mais sobre o movimento ideomotor e suas aplicações.

Pensando errado

A falácia de Monte Carlo

Você já fez alguma aposta na loteria? Consideremos que eu queira apostar três volantes da loteria Mega Sena, cada um com seis números. Veja os números que escolhi e responda: qual deles você acha menos provável de acontecer?

Volante 1: 40, 42, 46, 48, 50, 52
Volante 2: 01, 02, 03, 04, 05, 06
Volante 3: 04, 10, 23, 33, 48, 55

Ao contrário do que se possa imaginar, as chances de qualquer um desses volantes serem os vencedores é a mesma. Apesar disso, temos a impressão de que o terceiro volante seria mais provável, porque não conseguimos arranjar um padrão numérico para eles. Ainda que não seja possível prever os números sorteados, muitas pessoas buscam fazê-lo por meio de estatísticas completamente sem sentido, como "os números mais sorteados", "os números menos sorteados", entre outras. Denominamos tal fenômeno de "A falácia de Monte Carlo". O nome é decorrente de um episódio datado de 1913, quando, em um cassino em Monte Carlo, o quadrado preto saiu na roleta 26 vezes seguidas.

A cada vez que o preto era sorteado, aumentavam as apostas no vermelho, como se o fato de o vermelho ainda não ter sido sorteado tornasse ainda mais provável que ele surgisse. Se computássemos o resultado de milhares e milhares giros da roleta, provavelmente o número de vezes em que saíram o preto e o vermelho seriam bem próximos. No entanto, isso não indica que a roleta tenha algum tipo de memória. Ela não altera o resultado do próximo giro apenas para criar algum tipo de balanceamento estatístico.

Estimativas erradas

Para mostrar a maneira como fazemos estimativas, o pesquisador cognitivo Massimo Piattelli-Palmarini sugere um teste[6] bem interessante. Palmarini

6 PIATELLI-PALMARINI, M. *Inevitable illusions:* how mistakes of reason rule our minds Nova Jersey: Wiley, 1996.

dividiu os voluntários em dois grupos. O primeiro iria resolver, de cabeça e em apenas cinco segundos, a seguinte sequência de multiplicações:

$$2 \times 3 \times 4 \times 5 \times 6 \times 7 \times 8$$

O outro grupo resolveria no mesmo tempo de cinco segundos a seguinte sequência de multiplicações:

$$8 \times 7 \times 6 \times 5 \times 4 \times 3 \times 2$$

Ainda que o resultado real das duas sequências de multiplicações fosse exatamente o mesmo, o pesquisador percebeu que o segundo grupo fazia estimativas de números muito maiores. O motivo é simples: ao começarmos a multiplicar os números (2 × 3 × 4...) em um tempo tão curto, temos um estouro de nossa memória operacional – nossa memória temporária – e acabamos por fazer alguma estimativa no meio do processo. Inevitavelmente, estimativas serão feitas nos resultados obtidos até então: o que explica o motivo pelo qual as estimativas do segundo grupo eram bem mais elevadas.

O problema de Monty Hall

Nos anos 1970, um programa de TV norte-americano chamado *Let's make a deal* (Vamos fazer um acordo, em português) fez bastante sucesso. Nele, um apresentador chamado Monty Hall indicava três portas aos concorrentes e explicava que duas delas continham prêmios de baixo valor e a terceira escondia um carro.

O concorrente, então, escolhia uma porta, que ainda não seria aberta. Em seguida, Monty abriria uma das que o concorrente não escolheu para mostrar que o carro não se encontrava lá.

Após abrir uma das portas que não foram escolhidas, restavam apenas duas: a que fora escolhida pelo concorrente e a outra, que não fora aberta nem escolhida. Em seguida, Monty Hall pergunta ao concorrente: "Deseja trocar de porta?".

Qual seria a opção mais lógica? Em um primeiro momento, temos a impressão de que, ao descobrir uma porta não premiada, o concorrente teria à frente um novo dilema, cuja chance de sucesso seria de 50% – afinal, teríamos duas portas e apenas um prêmio. Ao perceber que as chances são supostamente de 50%, o concorrente costuma preferir confiar na sua intuição e não trocar de porta.

No entanto, essa estratégia está incorreta, porque a porta que não contém o prêmio e que será revelada pelo apresentador depende da porta que o concorrente escolher a princípio. Ao abrir a porta, ele não está criando um novo dilema. Na verdade, ele está dando novas informações sobre o problema original. O apresentador já sabe qual porta contém o prêmio e jamais abrirá uma porta premiada. Veja a seguir a explicação do problema.

Considere que, inicialmente, o concorrente tenha escolhido a porta não premiada. Nesse caso, o apresentador terá outras duas portas: uma premiada e outra não premiada. Necessariamente, o apresentador revelará a porta não premiada, restando apenas a porta premiada. Ou seja, se inicialmente for escolhida uma porta errada ($^2/_3$ de chance), a troca sempre levará à porta correta.

Veja a seguir a ilustração do mesmo problema, mas em vez de portas que escondem um carro, são xícaras que escondem um diamante. Observe: toda vez que inicialmente for escolhida a xícara errada, a troca levará à xícara premiada.

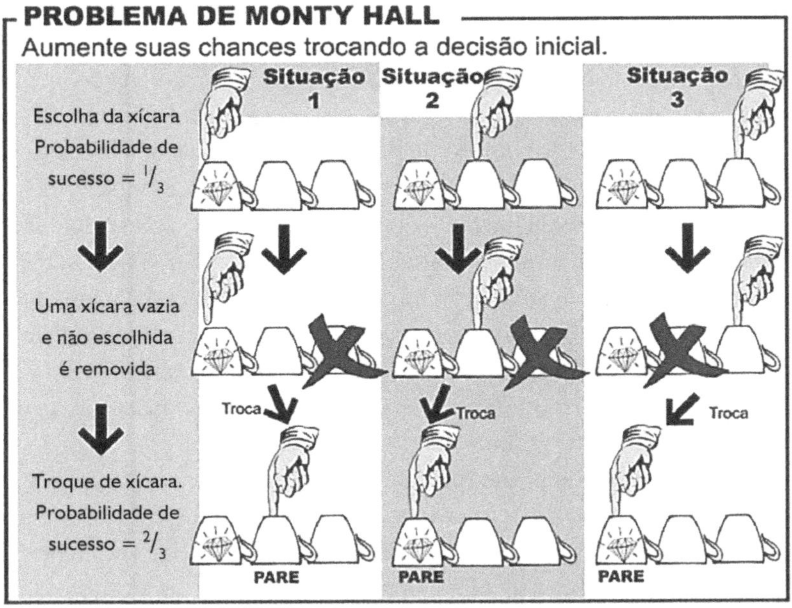

© 2002 "777 Mathematical Conversation Starters" by John de Pillis

Em seu livro *Tricks of the mind*, o mentalista Derren Brown nos fornece outro exemplo para facilitar o entendimento da estatística por trás desse problema. Imagine que agora temos 100 caixas numeradas de 1 a 100. Suponha que escondi um anel de brilhantes em uma dessas caixas. Em seguida, peço para você escolher uma dessas caixas numeradas, com o objetivo de encontrar o anel. Vamos supor que você escolha a caixa de número 52. A chance de essa caixa estar com o anel é muito baixa, já que será de apenas 1%. Em seguida, eu elimino 98 caixas vazias e restam apenas duas: a número 52 que você escolheu e a número 27. Ainda que tenham sobrado duas caixas e uma delas esteja premiada, a chance não é de 50%. Mais uma vez, eu sabia da localização do anel. Dessa maneira, ao eliminar as 98 caixas, tive de evitar a caixa correta. Assim, se você trocar a caixa 52, a que você escolheu no início, pela caixa 27, você terá 99% de chance de encontrar o anel.

Hipnose e PNL

A hipnose me fascina há muito tempo. Desde a minha adolescência, quando via Fábio Puentes se apresentando no extinto *Show de Calouros* do Silvio Santos, eu me questionava sobre os elementos que permitiriam um fenômeno tão interessante como o hipnótico. Há cerca de um ano, decidi me aprofundar no tema: fiz vários cursos e li praticamente todos os livros que encontrei no mercado – quase todos estrangeiros, já que existem poucos livros sobre o tema em nosso idioma.

Qualquer pessoa com o mínimo de interesse em hipnose vai acabar estudando programação neurolinguística, a PNL. A PNL é uma abordagem para a comunicação, desenvolvimento pessoal e psicoterapia, criada por Richard Bandler e John Grinder, na Califórnia (EUA), nos anos 1970. Seus criadores afirmam existir uma ligação entre os processos neurológicos ("neuro"), a linguagem ("linguística") e padrões de comportamento aprendidos por meio da experiência ("programação"), e os que estes podem ser alterados para alcançar os objetivos mais variados, desde a eliminação de vícios, ansiedade, perda de peso, fobias, entre outras mudanças.

A PNL surgiu devido a uma curiosidade de seus criadores: eles queriam testar os segredos por trás de alguns terapeutas de sucesso da época: Virginia Satir (grande expoente da terapia familiar), Fritz Perls (criador da Gestalt-Terapia) e Milton Erickson[7] (criador da hipnoterapia indireta). Para isso, utilizaram uma técnica chamada modelagem,[8] que busca decodificar as habilidades de alguém com o objetivo de construir um modelo do que ele faz. Após a decodificação, o modelo seria reduzido a uma série de padrões, a serem ensinados a outras pes-

7 Erickson é a ponte entre a PNL e a hipnose.

8 O nome dessa técnica, em inglês, é *modelling*. Não confundir com *shaping*, termo da teoria behaviorista cuja tradução em português também é "modelagem".

soas que tivessem o objetivo de atingir os mesmos resultados. Após modelarem os três terapeutas, Bandler e Grinder lançaram em 1977 seu primeiro livro, chamado *A estrutura da magia*.

Desde então, a PNL e a hipnose têm sido exaustivamente estudadas, e dezenas de livros são lançados todos os anos sobre o assunto. No entanto, existe um grande problema: o movimento da Nova Era.

A Nova Era foi um movimento espiritual ocidental que se desenvolveu na segunda metade do século XX. Ele tinha como principal característica uma fusão dos ensinos metafísicos de influência oriental, de linhas teológicas, de crenças espiritualistas, animistas e paracientíficas, e propunha um novo modelo de consciência moral, psicológica e social, além de integração e simbiose com o meio envolvente, a Natureza e até o Cosmos. Muitas vezes, tinha como base um caráter liberal e de oposição à ortodoxia e ao conservadorismo das religiões organizadas. O termo "Nova Era" refere-se à vinda astrológica da Era de Aquário.

Essa nova proposta espiritual levou a um aumento do interesse por técnicas de aperfeiçoamento pessoal que fossem praticamente instantâneas e por maneiras fáceis e indolores de aquisição de conhecimentos e habilidades. Nesse contexto, o ser humano era visto como detentor de potencialidades incalculáveis, à espera de serem liberadas.

Assim, a hipnose e a PNL surgem como ferramentas ideais para alcançarmos todas essas potencialidades. Como consequência, surgiram as associações mais pseudocientíficas possíveis:

- Hipnose e vidas passadas;
- Hipnose e telepatia;
- Hipnose e tarô;
- PNL e telepatia;
- PNL e astrologia.

A lista é praticamente infinita. Portanto, ao escrever este livro, procurei ser o mais criterioso possível. Ao mencionar qualquer pesquisa científica, indico no rodapé a referência completa da pesquisa. Dessa maneira, é possível verificar por conta própria se a metodologia e os resultados são confiáveis. Evitem o pensamento automático, confiram as fontes bibliográficas. Se alguém lhes disser que alguma bobagem está "cientificamente comprovada", peça para ver o artigo científico.

Recentemente, conheci algumas pessoas que ficaram indignadas com o ceticismo com o qual encaro a hipnose e a PNL. Segundo eles, eu deveria ter a mente aberta para as possibilidades. Ora, claro que minha mente está aberta às possibilidades. No entanto, nessas ocasiões, sempre sigo o conselho de Carl Sagan: "Devemos manter a mente aberta, mas não tão aberta a ponto do cérebro cair".

2. Hipnose

"A vida é dez por cento o que experimentamos e noventa por cento a maneira como reagimos a essas experiências."
Dorothy M. Neddermeyer, escritora

O que é hipnose?

Ninguém sabe ao certo o que é a hipnose. As definições acerca desse fenômeno costumam ser divididas em dois tipos: teorias que consideram a hipnose um estado alterado de consciência e teorias que consideram-na um fenômeno de atenção concentrada, que ocorre naturalmente várias vezes por dia. Chamaremos o primeiro grupo de "teorias de estado" e o segundo de "teorias de não estado".

Teorias de estado

A teoria neodissociativa de Hilgard[9] é um excelente exemplo das teorias de estado. Ela propõe que as induções hipnóticas são capazes de criar uma divisão das funções executivas de nosso cérebro. Dessa maneira, algumas funções executivas funcionam normalmente, mas não são capazes de representar-se na consciência, devido à existência de uma "barreira amnésica".

> *Sugestões eficazes do hipnotista podem tomar grande parte do controle normal do sujeito. Ou seja, o hipnotista pode influenciar as funções executivas do sujeito e mudar os arranjos hierárquicos das suas subestruturas. Isso é o que acontece quando, no contexto hipnótico, ocorrem alterações nos*

9 HILGARD, E. R. *Hypnotic susceptibility*. New York: Harcourt, Brace & World, 1965;
Idem. A neodissociation interpretation of hypnosis. In: LYNN, S. J.; RHUE, J. W. (eds.) *Theories of hypnosis:* current models and perspectives. New York: Guilford Press, 1991, pp. 83-104;
Idem. A neodissociation interpretation of pain reduction in hypnosis. *Psychological Review*, 1973, v. 80, pp. 396-411.
Idem. Hypnotic susceptibility scales under attack: an examination of Wetzenhoffer's criticisms. *International Journal of Clinical and Experimental Hypnosis*, 1981, v. 29, pp. 24-41.

controles motores e na percepção, as memórias são distorcidas e alucinações podem ser percebidas como uma realidade externa.

HILGARD, 1991

A perspectiva moderna neodissociativa baseia-se no conceito de dissociação cunhado pelo filósofo e psicólogo Pierre Janet.[10] A dissociação se refere a uma ampla gama de experiências de desconexão com a realidade imediata, a partir de experiências físicas e emocionais. Essa dissociação aconteceria em um espectro que variaria em diferentes níveis. A teoria da dissociação ganhou força na tentativa de explicar o suposto fenômeno de personalidades múltiplas. No entanto, alguns pesquisadores[11] reinterpretaram a hipnose como uma espécie de fenômeno dissociativo. De acordo com esses autores, a dissociação parcial das estruturas cognitivas do cérebro facilitaria a hipnose.

Pesquisadores realizaram alguns experimentos que parecem confirmar as teorias de estado. Usando um eletroencefalograma (EEG),[12] foi observado que indivíduos altamente hipnotizáveis apresentam maior frequência de ondas Teta em seu dia a dia – tanto acordados como em transe – do que os indivíduos do grupo controle,[13] independente dos olhos estarem abertos ou fechados.[14]

---

10 Janet foi uma das primeiras pessoas a alegar uma conexão entre os eventos na vida passada do sujeito e seu trauma atual. Além disso, ele cunhou os termos "dissociação" e "subconsciente". É importante ressaltar que o conceito de "subconsciente" não tem nada a ver com o conceito de "inconsciente", cunhado por Freud. "Subconsciente" seria uma parte da própria consciência a que não teríamos acesso.

11 SPANOS, N. P. e CHAVES, J. F. History and historiography of hypnosis. In: LYNN, S. J. e RHUE, J. W. (eds.) *Theories of hypnosis:* current models and perspectives. New York: Guilford Press, 1991, pp. 43–82.

12 O EEG é um exame que analisa a atividade elétrica cerebral espontânea e a registra para análise posterior. Essa atividade elétrica é captada por meio de eletrodos colocados sobre o couro cabeludo e é medida em hertz.

13 Um grupo controle numa experiência científica é um grupo separado do restante da experiência, com o objetivo de comprovar ou refutar a hipótese do experimento.

14 Disponível em: http://www.ncbi.nlm.nih.gov/pubmed/1151356. Acesso em: 19 de janeiro de 2016.

Classificação das ondas cerebrais

As ondas cerebrais são classificadas em ondas Alfa, Beta, Teta e Delta.

Ondas Alfa - É um estado de vigília em relaxamento. Quando estamos relaxados, meditando ou ouvindo música, frequentemente estamos nesse estado. No início do sono ou do transe hipnótico também estamos nesse estado.

Ondas Beta - Provavelmente, enquanto lê esse livro, você está no estado Beta. Beta significa que você está acordado, muito desperto e completamente a par daquilo que acontece ao seu redor.

Ondas Teta - Aprofundando-se ainda mais o transe, você atinge o estado Teta. Esse é o estado que precede o sono profundo. Quando alguém está em transe profundo, as ondas Teta são as que estão mais evidentes.

Ondas Delta - O estado Delta é o estado de sono profundo. Elas são frequentes no sono REM ou Rapid Eye Movement (movimento rápido dos olhos). É nesse momento que sonhamos.

Ondas	Registro gráfico	Frequência[15]
Alfa		8-13 Hz
Beta		13-30 Hz
Teta	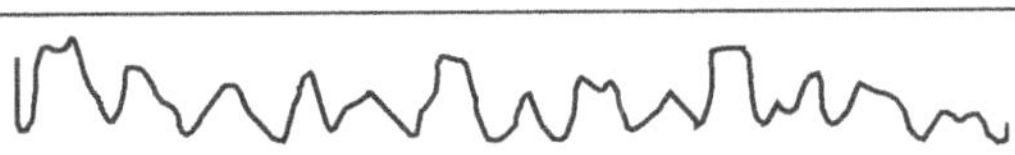	4-8 Hz
Delta		0-4 Hz

Milton Erickson foi um dos primeiros pesquisadores a conceber a hipnose como um estado dissociativo, decorrente de uma intensa concentração. Dessa maneira, qualquer estado de alta concentração em que ignoramos o ambiente em que estamos inseridos seria um estado de transe hipnótico.

15 Disponível em: <http://www.scielo.br/pdf/rba/v51n5/en_v51n5a08.pdf>. Acesso em: 19 de janeiro de 2016.

Veja a seguir algumas situações em que você se auto-hipnotiza, independentemente de sua habilidade de entrar em transe hipnótico:

- Você está tão envolvido com alguma atividade intelectual (por exemplo, a leitura de um livro ou a elaboração de algum projeto do trabalho) e, mesmo que alguém chame por seu nome, você simplesmente não percebe que o estão chamando. Nessas situações, estamos completamente absorvidos por aquilo que estamos visualizando: isso seria um estado de transe autoinduzido.
- Você está dirigindo seu carro em direção à praia ou a algum parque e, em determinado momento, percebe que está indo em direção a seu trabalho. Nesse caso, você colocou a direção do veículo "no automático" e direcionou sua atenção para seu interior, tornando-se alheio ao que estava em seu entorno.
- Você está tão preocupado com alguma prova ou entrevista de emprego que simplesmente não sente sede ou fome. Mais uma vez, sua concentração lhe faz ignorar aquilo que o rodeia.
- Você está assistindo à final do campeonato de futebol e, novamente, ignora por completo tudo o que acontece ao seu redor.

Teorias de não estado

Dentre as teorias de não estado, uma se destaca: a behaviorista. O behaviorismo é uma linha de pensamento da psicologia que se baseia na ideia de que todas as ações humanas podem ser explicadas em termos de reflexos condicionados por recompensa e punição. B. F. Skinner, apesar de não ter sido o fundador da corrente behaviorista, foi responsável por sistematizá-la, tornando-se um de seus principais expoentes. Em um dos seus livros, *O comportamento verbal*, Skinner utiliza-se de sua teoria para explicar a aquisição da linguagem. Nessa obra, ele aborda os fenômenos hipnóticos sob a ótica comportamental. Veja a seguir algumas de suas considerações:

> *Por enquanto, a hipnose ainda não foi bem compreendida, mas ela parece exemplificar uma grande "crença" no sentido presente. Por um momento, o mundo se reduz a estímulos verbais que se encontram praticamente sob o controle completo do sujeito hipnotizado. Um comportamento característico de ouvintes aparece numa forma dramaticamente intensa. A reação aos estímulos verbais, claramente localizada, é semelhante à concentração*

conseguida por um livro. Macaulay afirmou, em sua última doença, que um livro interessante atuava como analgésico.

Em certa medida, as mesmas condições de "crença" governam um simples reflexo condicionado. Quando a cozinheira anuncia "Jantar!", o ouvinte pode responder de duas maneiras: salivando – ou respondendo de alguma outra forma com os músculos lisos ou as glândulas – ele demonstra o condicionamento pavloviano; dirigindo-se à mesa e sentando-se, ele demonstra um operante discriminado reforçado em ocasiões passadas semelhantes. Sua crença na criada, no sentido de força de qualquer dos tipos de reação, será influenciada pelas propriedades da resposta a "Jantar!". Se a cozinheira deixou que o assado se queimasse ou não se saiu bem em algum dos pratos, e por isso diz "Jantar" com uma voz hesitante, o ouvinte pode caminhar para a mesa com menos entusiasmo e com a boca seca. [...]

O comportamento frequentemente dramático do ouvinte sob hipnose é um caso extremo de instrução. As técnicas para induzir o estado hipnótico são ricas em mandos, e as sugestões hipnóticas costumam assumir a mesma forma. Se damos ao sujeito hipnotizado um mata-moscas e dizemos "Isto é um guarda-chuva", ele transfere aquilo que poderíamos chamar de comportamento-guarda-chuva para o mata-moscas. Nossa resposta é uma espécie de instrução ou definição ampliada: Aja como se isto fosse um guarda-chuva. Se em seguida dissermos "Está chovendo", ele pode transferir seu comportamento apropriado aos dias de chuva para a cena atual e talvez segure o mata-moscas como se fosse um guarda-chuva.

SKINNER, 1978

Essas afirmações não constituem, é claro, uma explicação melhor ou pior sobre a hipnose do que as afirmações precedentes sobre o comportamento verbal; elas apenas classificam as instruções hipnóticas de acordo com contingências verbais mais generalizadas. Os processos hipnóticos intensificam o controle verbal, com exclusão de outras formas de estimulação. Os resultados excepcionais obtidos sob hipnose não diferem em espécie do comportamento normal do ouvinte.

Dessa maneira, Skinner sugere que as pessoas que estão hipnotizadas não estão em um estado alterado de consciência, mas estão apenas representando um papel que lhes é sugerido. É importante ressaltar que o termo "representar um papel" não implica fingimento.

A encenação, se levada aos limites da entrega que o ator faz para o personagem, pode muito bem balançar a percepção que o ator tem de si e do mundo.

A confusão entre realidade e ficção é um fenômeno social mais do que comum e nem sempre pode ser concebida como loucura. Ser considerado louco ou não é, às vezes, mais uma questão estatística e contextual do que um fato. A encenação pode, no extremo da alienação que provoca, em muitos casos, conduzir à dissolução da identidade. O sujeito, ao mergulhar no papel que encarnou, pode se perder de si mesmo, de sua própria identidade, a qual dá lugar ao personagem que se apossa de seu ser. Esse processo pode ser momentâneo e não perdurar. No caso da hipnose, não há como reduzi-la a uma encenação, pois há alguém que ordena e sugere e alguém que obedece e "encena".

Há dois modos básicos de encenação, de desempenho de papéis: um é voluntário (consciente) e o outro é involuntário (automático). Uma coisa é encenar e ter controle sobre o que está sendo encenado. Outra é começar conscientemente a desempenhar um papel e depois ser completamente tomado por ele. Isso não somente pode ser observado no cotidiano, como já o foi em condições controladas. (FACIOLI, 2006)

O fenômeno da conformidade

Segundo a psicologia social norte-americana, o fenômeno da conformidade se refere à tendência que as pessoas têm de mudar suas percepções, opiniões e comportamentos de forma que eles sejam consistentes com as normas do grupo e suas expectativas. Em certa medida, por mais autênticos que procuremos ser, todos nós somos moldados pelo fenômeno da conformidade.

Qual a última vez em que você, por exemplo, foi trabalhar de bermuda ou foi a alguma celebração de casamento usando calça *jeans*? É por conta desse fenômeno que as pessoas têm dificuldades em romper as normas sociais.

A seguir, você entenderá o papel do fenômeno da conformidade nas apresentações de hipnose de palco.

A conformidade pública

Em 1951, o psicólogo Solomon Asch realizou um experimento[16] que procurou testar como as nossas crenças individuais eram afetadas pelas crenças dos outros. Para compreender melhor o experimento de Asch, imagine-se na seguinte situação: você se inscreveu para realizar um experimento em psicologia e, ao chegar no local do teste, encontra seis outras pessoas esperando em torno

16 ASCH, S. E. Effects of group pressure upon the modification and distortion of judgments. In: GUETZKOW, H. *Groups, leadership, and men*. Pittsburgh: Carnegie Press, 1951.

de uma mesa. Você se senta no último lugar vazio e, logo em seguida, surge o pesquisador com as instruções. Segundo o responsável, o teste avaliará a capacidade de cada sujeito de realizar discriminações visuais. Como exemplo, ele pede que você e os demais indiquem qual das linhas de comparação é idêntica em comprimento a uma linha padrão.

Veja o exemplo na figura abaixo:

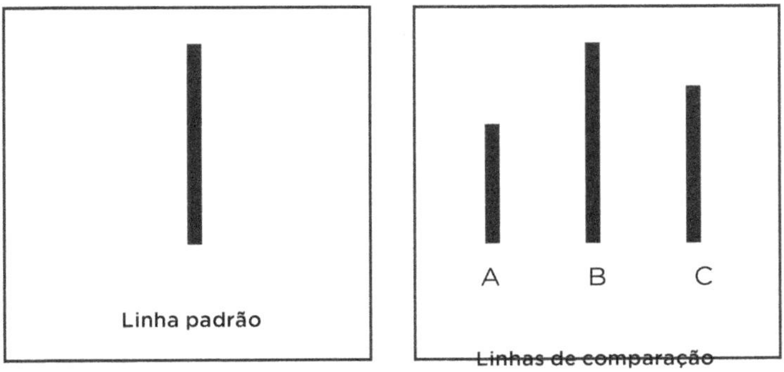

A tarefa é muito fácil. Por exemplo, no caso acima, bastaria responder que a linha B era a mais parecida com a linha padrão. O pesquisador diz, então, que logo depois que os conjuntos de linhas forem mostrados, você e os outros devem se revezar, anunciando seus vereditos em voz alta, na ordem em que estavam sentados. Devido à sua posição, você sempre será o último a responder. Surge o primeiro conjunto de linhas, e todos os sujeitos, incluindo você, concordam com a resposta do primeiro participante. Lembre-se, é um teste muito simples. Surge o segundo conjunto de linhas, e, mais uma vez, todos fornecem a mesma resposta. No entanto, no terceiro conjunto de linhas, algo inusitado acontece: o primeiro participante indica o que é, claramente, a linha errada. O que poderia ter acontecido? Seria um problema de visão? Seria um problema de concentração? Então, o mais improvável acontece: todos os outros participantes escolhem a resposta que, é evidente, está errada. Você começa a se questionar se realmente compreendeu a tarefa e reflete sobre as consequências de discordar da opinião de seus pares. Agora, é a sua vez: o que você faz?

Ao contrário do que você poderia pensar, os outros "participantes" eram atores que haviam sido treinados para fazer julgamentos incorretos em 12 das 18 apresentações. Esse experimento foi realizado várias vezes e, em média, 50% dos participantes acabavam por concordar com ao menos metade das respostas erradas dos colegas. Apenas 25% dos participantes se recusavam a concordar com qualquer uma das respostas erradas. Os demais 75% acabavam por concordar ocasionalmente com os erros dos seus pares.

Esse experimento já foi replicado várias e várias vezes, com resultados muito semelhantes. Essas pesquisas identificam aquilo que a psicologia entende como conformidade pública (em inglês, os pesquisadores utilizam a palavra *compliance* para descrever esse fenômeno. Em português, ela poderia ser entendida como "aderência à norma"). Esse fenômeno mostra que, muitas vezes, as pessoas respondem a pressões da sociedade, fingindo concordar, ainda que discordem completamente. Isso acontece bastante quando queremos agradar os outros ou quando temos medo de não sermos aceitos por algum grupo.

A CONFORMIDADE PRIVADA

Em 2005, o neuroeconomista e psicólogo Gregory Berns realizou outra pesquisa[17] para identificar a conformidade. Nesse experimento, 32 adultos realizaram um teste de percepção visual-espacial, em que sua tarefa era rotacionar mentalmente dois objetos geométricos e identificar se eles eram iguais ou diferentes. Veja na figura a seguir:

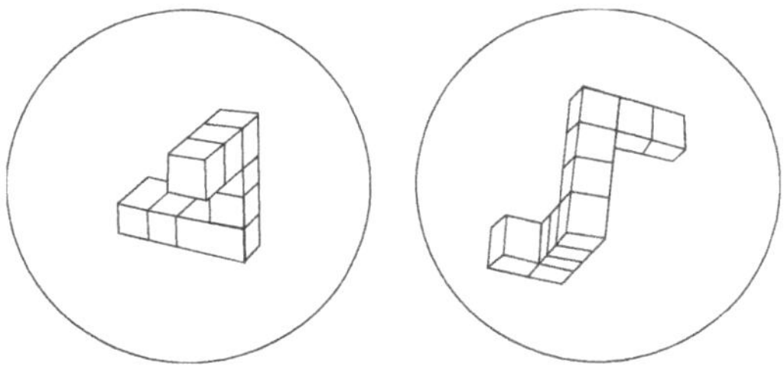

Nesse caso, as duas figuras são diferentes.

Os 32 participantes da pesquisa foram divididos em 32 grupos, recorrendo a, praticamente, o mesmo formato do experimento de Asch (ou seja, cada grupo era composto por um participante e quatro atores. Novamente, os atores iriam concordar em algumas respostas erradas).

17 BERNS, G. S. et al. Neurobiological correlates of social conformity and independence during mental rotation. *Biological Psychiatry*, v. 58, 2005, pp. 245–253.

A conformidade mais uma vez foi observada. No entanto, ao contrário do estudo original, os participantes foram colocados em um scanner fMRI[18] enquanto estavam engajados na tarefa.

Nesse experimento, os julgamentos em conformidade foram acompanhados pelo aumento da atividade em uma parte do cérebro que controla a consciência espacial, e não em áreas associadas com a tomada de decisão consciente. Esses resultados sugerem que os sujeitos tiveram sua própria percepção da realidade alterada e não apenas o seu comportamento.

Esse fenômeno é conhecido como conformidade privada, mas também pode ser descrito como uma verdadeira aceitação ou conversão. Nessa situação, não mudamos apenas o nosso comportamento visível, mas também nosso pensamento e nossas percepções da realidade.

Assim, o behaviorismo e as atuais pesquisas envolvendo conformidade explicariam grande parte dos fenômenos hipnóticos: desde as catalepsias de membros, analgesias e até mesmo as alucinações positivas ou negativas (afinal, a conformidade privada alteraria a própria percepção da realidade). Ou seja, ainda que as abordagens teóricas behavioristas utilizem-se do termo "encenação", isso não indica que os sujeitos hipnotizados estejam fingindo. Aliás, essas abordagens são inteiramente consistentes com a noção de que os sujeitos hipnotizados têm experiências incomuns.

Teorias de estado *versus* teorias de não estado

É nessa classificação que os pesquisadores ainda se encontram divididos em relação à definição do fenômeno hipnótico. O motivo de isso acontecer é simples: chamamos de hipnose dois fenômenos bem diferentes. O primeiro seria completamente explicado pela conformidade, seja ela pública (medo de reprovação social) ou privada (alteração na percepção da realidade). A conformidade privada explicaria quase todas as dinâmicas de hipnose de palco, desde a dramatização de situações sugeridas (por exemplo, quando é orientado ao hipnotizado que ele é um violinista ou um lutador de boxe), até as alucinações positivas ou negativas.

Por outro lado, outros fenômenos seriam mais bem identificados pelas teorias de estado. Um número de hipnose de palco muito impressionante é aquele em que o sujeito hipnotizado come uma cebola pensando que se trata de uma

18 O fMRI, também conhecido por Imageamento por Ressonância Magnética Funcional, é um aparelho que permite a observação das regiões ativadas do cérebro durante o seu funcionamento.

maçã e não lacrimeja. Seria muito difícil explicar esse fenômeno hipnótico sem se basear em alguma teoria dissociativa.

Portanto, a ciência ainda não sabe com total clareza o que é hipnose. Isso não significa, entretanto, que não possamos utilizar-nos de seus benefícios. Basicamente, a hipnose pode ser considerada um estado mental propício para o comportamento inconsciente, em vez do comportamento consciente.

Em outras palavras, podemos compreendê-la como uma forma de programação da mente (*software*) sobre o corpo (*hardware*), em que ela funcionaria por meio do sistema autônomo do corpo. Outra definição de que gosto é que hipnose seria o uso da linguagem para a criação de novas realidades. Prefiro utilizar essas definições, já que elas dispensam o conflito entre teorias de estado e de não estado, podendo ser amplamente empregadas.

A seguir, discorro sobre alguns mitos relacionados à hipnose.

Mitos da hipnose

Hipermnésia

Na ficção, a hipnose frequentemente é utilizada para ajudar pessoas a se lembrar dos detalhes exatos de um crime que testemunhou.

> *O massacre de uma família nos arredores de Estocolmo abala a polícia sueca. Os homicídios chamam a atenção do detetive Joona Linna, que exige investigar os assassinatos. O criminoso ainda está foragido, e há somente uma testemunha: o filho de 15 anos, que sobreviveu ao ataque. Quem cometeu os crimes o queria morto: ele recebeu mais de cem facadas e está em estado de choque. Desesperado por informações, Linna só vê uma saída: hipnose. Ele convence o Dr. Erik Maria Bark – especialista em pacientes psicologicamente traumatizados – a hipnotizar o garoto, na esperança de descobrir o assassino através das memórias da vítima. É o tipo de trabalho que Bark jurara nunca mais fazer: eticamente questionável e psicologicamente danoso. Quando ele quebra a promessa e hipnotiza o garoto, uma longa e aterrorizante sequência de acontecimentos tem início.*
>
> – Sinopse do livro *O hipnotista*, de Lars Kepler

A hipnose realmente pode ajudar na recordação de fatos esquecidos. Já ouvi relatos sobre recorrer à hipnose para se lembrar da senha de um antigo cofre. No entanto, ainda que a hipnose possa ser usada para potencializar a memória, os efeitos da suposta hipermnésia decorrente das sessões de hipnose têm sido drasticamente exagerados nos meios populares. Pesquisas indicam que a maior parte dessas supostas memórias é falsa ou distorcida.

Dessa maneira, só é possível potencializar lembranças marcantes que, por algum motivo, se encontram bloqueadas. Por exemplo, voltemos ao caso da senha do cofre. Provavelmente, a senha não era evocada devido a algum bloqueio de memória. No entanto, se essa memória tivesse sido completamente apagada, dificilmente seria trazida de volta.

Hipnose não é meditação

A meditação é uma prática em que um indivíduo treina a mente e a induz a um modo de consciência, seja para obter algum benefício direto ou até mesmo como um fim em si mesmo. Tanto ela como a hipnose podem envolver estados alterados de consciência, e por esse motivo ambas são frequentemente confundidas. O que as difere é que, após atingir esse estado alterado de consciência (teorias de estado), o hipnotista procura sugerir alguma mudança de pensamento, ideia ou atitude, ao passo que, na meditação, não há preocupação em alterar seus modelos de pensamento.

Hipnose não é sinônimo de terapia

Ao contrário do que muitos imaginam, hipnose não é uma linha psicoterapêutica. Na verdade, é uma técnica auxiliar, que pode ser aplicada como catalizador de processos terapêuticos. Em outras palavras: é uma ferramenta que pode ser utilizada nas sessões de psicoterapia, independentemente de sua linha teórica. Quando se recorre a ela durante o processo terapêutico, chamamos de hipnoterapia. Veja bem: hipnoterapia não é sinônimo de hipnose.

Hipnose não é relaxamento

Uma vez, um amigo me disse: "Odeio esses métodos de relaxamento. Por isso, nunca experimentei a hipnose". Contrariando o senso comum, não é necessário estar relaxado durante a hipnose.

Certamente, é mais fácil hipnotizar alguém quando o indivíduo se encontra relaxado. No entanto, o transe hipnótico pode ser obtido enquanto você está tenso, triste ou até mesmo nervoso.

Hipnose não é o mesmo que dormir

Apesar de já ter sido considerada um estado específico do sono, a hipnose é um estado completamente distinto. Durante o sono, sua mente age como um barco à deriva: você parece não ter controle sobre seus pensamentos. Por outro lado, durante a hipnose, você se interessa e participa ativamente daquilo que está pensando.

O motivo pelo qual se confunde hipnose com sono é que, em ambos os casos, o sujeito frequentemente se encontra de olhos fechados. No entanto, isso se deve ao fato de ser mais fácil se concentrar de olhos fechados.

Veja no quadro abaixo as principais diferenças entre eles.

Sono	Hipnose
Olhos fechados.	Olhos podem estar fechados ou abertos.
Corpo relaxado.	Frequentemente, o corpo se mantém relaxado. No entanto, pode ser instruído para tornar-se rígido.
Não escuta conversas.	Escuta a voz do hipnólogo.
Sem habilidade para se concentrar.	Muita habilidade para se concentrar.

Posso ser hipnotizado?

Para estudar qualquer fenômeno corretamente, é preciso criar alguma ferramenta para medi-lo. No caso da hipnose, o critério utilizado são as escalas Stanford de susceptibilidade à hipnose. As escalas de Stanford, como elas são frequentemente chamadas, foram criadas em 1950, na Universidade de Stanford, pelos psicólogos André M. Weitzenhoffer e Ernest R. Hilgard e até hoje são usadas para precisar a medida em que o sujeito responde à hipnose.

Essas escalas de susceptibilidade baseiam-se em um protocolo com uma série de dinâmicas de hipnose, em ordem crescente do estado hipnótico. Ou seja, começam pelos números de sugestão mais simples, como a elevação de um braço estendido, e vão gradualmente tornando-se mais complexos, como os de alucinações sensoriais.

A escala de Stanford varia de 0 (indivíduos que não respondem a nenhuma das sugestões) até 12 (indivíduos mais suscetíveis). Metade das pessoas tem pontuação na faixa intermediária (entre 5 e 7), e 95% da população recebe uma pontuação de pelo menos 1.[19]

Acerca das sugestões possíveis, uma pesquisa[20] identificou em uma amostra quais os tipos de rotinas hipnóticas mais utilizados e sua respectiva suscetibilidade.

Sugestão	Proporção da suscetibilidade
Rotina da mão pesada e da mão leve	**76%**
Mãos magnéticas	**75%**
Rigidez do braço	**64%**
Desenho pós-hipnótico	**52%**
Catalepsia do braço	**52%**
Alucinação gustativa	**51%**
Alucinação com um mosquito	**44%**
Sonho hipnótico	**42%**
Amnésia pós-hipnótica	**23%**
Alucinação negativa	**22%**
Alucinação musical	**17%**

Apesar da existência dessas escalas, a única forma de descobrir o seu nível de hipnotizabilidade[21] é participar do processo de hipnose com alguns hipnotistas diferentes. Talvez você esteja no grupo de pessoas muito suscetíveis à hipnose, e nesse caso, a voz de um hipnotista bastaria como o único anestésico que você precisaria durante uma cirurgia dentária, por exemplo. Se o seu potencial é mínimo, como cerca de 24% da população, você provavelmente ainda seria capaz de usar a hipnose para se livrar de um mau hábito, diminuir o nervosismo antes de uma apresentação ou simplesmente aumentar a sua autoconfiança no dia a dia. Até que você experimente submeter-se ao processo hipnótico propriamente dito, desconhecerá a extensão do talento que possui.

19 BENHAM, G.; NASH, M. R. The truth and the hype of hypnosis. *Scientific Mind and Thought*, n. 2, v. 16, 2005.

20 KIRSCH, I.; SILVA, C. E.; COMEY, G.; REED, S. A spectral analysis of cognitive and personality variables in hypnosis: empirical disconfirmation of the two-factor model of hypnotic responding. *Journal of Personality and Social Psychology*, v. 69, n. 1, pp. 167-175.

21 Hipnotizabilidade é a capacidade que cada um tem de ser hipnotizado. Ela determina não apenas a facilidade que temos para entrarmos em transe, mas também o quão profundamente nós entramos no estado alterado de consciência durante o processo.

Existem várias críticas em relação a essas escalas. A principal delas é que, durante sua elaboração, não foram considerados diversos elementos subjetivos, como o nível do *rapport* entre o sujeito e o hipnotista, o contexto da aplicação desses testes, entre outros. Em seu livro, *Provocative hypnosis*, Jorgen Rasmussen faz críticas bastante contundentes ao uso dessas escalas. Segundo ele, uma de suas pacientes respondeu muito bem a uma sugestão que envolvia alucinação positiva de uma bola de tênis, mas, surpreendentemente, não aceitou a sugestão da amnésia do número 4 (algo bem mais simples). Dessa maneira, não é recomendado o uso dessas escalas como "psicodiagnóstico de suscetibilidade", dada sua fragilidade metodológica. Eu mesmo, em minha prática, já presenciei sujeitos que se negavam a aceitar as sugestões de amnésia, mas alcançavam transes muito profundos e tornavam possíveis sugestões mais complexas, como as de alucinação positiva.

Não obstante as críticas, essas escalas ainda possuem grande utilidade em estudos estatísticos, uma vez que podem dar uma boa noção sobre a maneira como a suscetibilidade se distribui em uma população, informação essencial para muitas pesquisas acadêmicas. Sua utilidade se estende também aos hipnotistas de palco, visto que elas identificam o grau de probabilidade de encontrar sujeitos aptos a cada uma das rotinas. Suponhamos que eu esteja fazendo uma apresentação de hipnose para um grupo de quatro pessoas. Para garantir uma demonstração eficaz, certamente será mais razoável executar as rotinas teoricamente mais simples, como a da mão leve e mão pesada, ou do enrijecimento do braço.

História da hipnose

A hipnose tem sido usada desde a Antiguidade. Feiticeiros, curandeiros de tribos primitivas e líderes religiosos usaram-na de várias maneiras para curar os doentes.

A prática do que hoje chamamos de hipnose, ou hipnotismo, vem dos tempos mais remotos. Uma das evidências mais precoces da existência da hipnose foi encontrada entre os xamãs, que eram também referidos como "doutores bruxos", "homens de medicina" ou "curadores". Os xamãs, que são quase sempre homens, usaram (e seus descendentes ainda usam) muitas técnicas de visualização para curar seus pacientes ou para amaldiçoar seus inimigos. Atualmente, existem ainda alguns remanescentes xamãs na África, na região da Lapônia, no Havaí, ao longo do Alto Amazonas, na América do Sul, na Austrália e mesmo entre índios norte-americanos. (FERREIRA, 2003)

Talvez o registro mais antigo de hipnose seja a partir do Papiro de Ebers, por volta do século XVI a.C. Esse papiro egípcio de mais de 3 mil anos relata, com detalhes, várias técnicas de hipnotização, bem similares às que utilizamos nos dias de hoje, além de apontar fatos a respeito da teoria e da prática da medicina egípcia. O documento descreve procedimentos de médicos que, colocando suas mãos sobre as cabeças de pacientes, exerciam poderes sobre-humanos, enquanto recitavam estranhos mantras que sugeriam curas. (CARREIRO, 2007)

Registros médicos da Antiguidade também descrevem o uso da hipnose com fins terapêuticos no Templo de Esculápio,[22] na Grécia. Nesse templo, os pacientes eram colocados em transe hipnótico,[23] até que se recuperassem de sua doença.

Ao contrário do que muitos podem pensar, até mesmo a Bíblia possui trechos que parecem fazer referência a fenômenos hipnológicos. Em seu *e-book*, intitulado *Hipnose & Bíblia*,[24] Jerry A. R. defende a prática da hipnose por cristãos (ele mesmo o é) e indica alguns desses trechos:

> *Palavra daquele que ouve as palavras de Deus, daquele que vê a visão que vem do Todo-poderoso, daquele que cai prostrado e vê com clareza.*
> Números 24:4

Veja as considerações de Jerry A. R. sobre esse trecho:

> *Mahazeh [hebraico]: Visão sem o corpo. Contemplação. Usado em poesia e sentido metafórico.*

A tradução brasileira, revista e atualizada, traduz este termo como "prostrar-se". Em inglês,[25] é traduzido como "transe". No hebraico, a palavra possui muitos significados. É muito utilizado de forma metafórica e poética para se referir à visão humana (física). Levando em consideração o contexto, torna-se claro que se trata de algo real, então, adota-se a tradução "contemplação" ou "visão sem o corpo".

22 Famoso templo grego onde Hipócrates, o pai da medicina, teria estudado.

23 Segundo tais registros médicos, alguns desses pacientes permaneciam nesse estado até mesmo por dias.

24 O autor permitiu a livre distribuição desse *e-book*. A versão em PDF pode ser baixada pelo link: http://bit.ly/100dKt6. Acesso em 19 de janeiro de 2016.

25 "He hath said, which heard the words of God, which saw the vision of the Almighty, falling *into a trance*, but having his eyes open." (grifo nosso) Disponível em http://www.kingjamesbibleonline.org/Numbers-24-4/. Acesso em 8 de janeiro de 2016.

Para essa visão ocorrer, foi necessário que ele se voltasse para si, "entrado em si mesmo". Considerando a tradução inglesa, esse homem entrou num dos transes mais profundos, quando o paciente pode abrir os seus olhos "sem despertar". Esse "transe" que Balaão experimentou foi provocado por Deus, e vem nos afirmar a possibilidade de um indivíduo ficar letárgico e abrir os olhos sem interromper o transe. (Jerry A. R., 2010)

Assim, os fenômenos hipnóticos provavelmente encantam a humanidade há milhares de anos. No entanto, ainda que seja um estudo milenar, a hipnose nunca encontrou fácil aceitação. Toda a sua história sempre foi inundada por controvérsias e conflitos.

Desde os dias de Franz Anton Mesmer (1734-1815), o homem a quem até hoje é dado mais crédito para a promoção do fenômeno hipnótico, a hipnose tem gerado intensos debates acerca de sua aplicabilidade terapêutica e das questões éticas que envolvem os famosos *shows* de hipnose (também conhecidos como hipnose de palco).

Mesmer iniciou sua vida acadêmica estudando teologia. Em seguida, estudou direito e, finalmente, medicina. Após formar-se em medicina, ficou intrigado com relatos sobre um padre no sul da França, que havia ganhado grande reputação como "o médico dos aflitos". Interessado em conhecer seus métodos, ele decidiu assistir às sessões de cura desse padre – que, aliás, possuía o estranho nome de Maximilian Hell.[26]

Mesmer visitou o padre e observou a forma como o sacerdote tratava os enfermos. Em seu tratamento, o sacerdote batia em seus corpos e, na sequência, os pacientes entravam em uma espécie de transe hipnótico. Após despertarem, eles pareciam estar livres de suas doenças e totalmente aliviados de suas aflições. Muitos sofriam de doenças de origem emocional. No entanto, o que o intrigava é que alguns desses enfermos sofriam de males físicos e, após o transe, pareciam estar curados.

Em seguida, Mesmer procurou reproduzir as ações do padre Hell e conseguiu dissipar algumas de suas próprias dores ou aflições. Franz Mesmer deduziu que a cura deveria ocorrer por meio da passagem de alguma energia das mãos do sacerdote para o corpo do paciente. Ele imaginou que essa energia deveria ter natureza magnética e chamou-a de "magnetismo animal". Mesmer concluiu que o universo e todos seus elementos constituintes (estrelas, planetas, seres vivos) possuíam um fluido magnético[27] responsável por animar os corpos

26 *Hell*, do inglês, inferno.

27 Essa ideia provavelmente foi inspirada no conceito oriental de energia latente, conhecida também como "chi" ou "ki", muito utilizado em várias artes marciais orientais.

orgânicos e inorgânicos. Dessa maneira, o surgimento de doenças seria decorrente da interrupção desse fluxo magnético.

Baseando-se nessa teoria, Mesmer criou vários métodos terapêuticos que visavam o restabelecimento desse fluxo. Utilizando-se de ímãs[28] e até mesmo recorrendo à imposição das mãos, o médico procurava realinhar esse fluxo energético. Um de seus tratamentos envolvia colocar os pacientes sentados dentro de uma banheira, com água e limalhas de ferro, e pressionar firmemente seus joelhos para facilitar o processo de realinhamento magnético.

A primeira paciente de Mesmer a ser tratada com ímãs veio até ele em 1774. Ela sofria de muitos males, como desmaios, vômitos, convulsões, delírios, dores de ouvido, de dente e muitos outros. Após várias tentativas de tratamento, ela foi declarada incurável, e era esperado que morresse em breve.

Segundo os relatos da época, Mesmer teria colocado alguns ímãs em suas pernas e no estômago, pressionando-os nessas regiões. Esse novo tratamento se repetiu por alguns dias e, após algumas semanas, a mulher teria se recuperado completamente. Em pouco tempo, a notícia se espalhou, e o nome de Mesmer tornou-se conhecido na região.

Em 1778, depois de não conseguir curar uma pianista acometida de cegueira nervosa, Mesmer foi expulso de Viena e se instalou em Paris. Na França, o médico tornou-se bastante popular entre a aristocracia francesa por suas curas magnéticas. Wolfgang Amadeus Mozart e a rainha francesa Maria Antonieta eram grandes admiradores do trabalho do médico austríaco.

Apesar de todo esse sucesso, o rei Luís XVI não se convenceu sobre as curas e encomendou à Academia Francesa de Ciências uma investigação sobre Mesmer e suas alegações terapêuticas. Para realizar essa investigação, a Academia nomeou uma série de cientistas e cidadãos proeminentes para comporem o comitê de investigação.[29]

O relatório público da comissão concluiu que não havia nenhuma evidência científica do magnetismo animal e que as curas atribuídas a ele poderiam ter acontecido ou por meio de uma remissão normal do problema, ou em decorrência da imaginação dos pacientes.

Em resposta a isso, um dos alunos de Mesmer, Charles d'Eslon disse: "Se a medicina da imaginação é a melhor, por que não praticá-la?". Apesar de suas descobertas, nem Mesmer, nem seus alunos ganharam fama por elas, tornando-se estigmatizados como hereges do pensamento científico. Mesmer,

28 Os atuais colchões e filtros de água magnetizadores baseiam-se nessa mesma teoria.

29 Entre esses membros, podemos destacar o cientista Antoine Lavoisier; Jean Bailly, o prefeito de Paris; o médico Dr. Joseph Guillotin e Benjamin Franklin.

derrotado, aposentou-se e morreu na Suíça, em 1815. Houve, ainda, rumores de fraudes, o que fez do nome de Mesmer um símbolo de desprezo e zombaria.

Apesar de todo o preconceito acerca da hipnose, vários profissionais continuaram a estudar seus notáveis benefícios. O termo "hipnotismo" foi utilizado pela primeira vez por James Braid, um cirurgião de Manchester, em 1841. Ele viu o estado de transe como um sono nervoso e nomeou-o "Hypnos", o deus grego do sono. No entanto, o grande responsável pela retomada dos estudos envolvendo a hipnose foi o neurologista Jean-Martin Charcot (1825-1893). O cientista foi o primeiro a descrever o processo de sugestão pós-hipnótica e as melhorias extraordinárias na acuidade sensorial e na memória de pacientes sob hipnose. Durante as suas investigações, concluiu que a hipnose era um método que permitia tratar diversas perturbações psíquicas, em especial a histeria.[30]

No final do século XIX, a hipnose voltou a ter destaque devido a um famoso neurologista: Sigmund Freud. Inicialmente, Freud foi um grande defensor da hipnoterapia. Juntamente de seu parceiro, Breuer, usou a hipnose para ajudar pacientes a se lembrar de fatos reprimidos e supostamente esquecidos. Além disso, eles foram os pioneiros na chamada regressão hipnótica, que viabilizou recordações das infâncias de seus pacientes.

Freud foi o primeiro a identificar um elemento essencial para a hipnose: a transferência. Em linhas gerais, a transferência é um fenômeno em que sentimentos que o paciente já teve por alguém importante de sua vida são transferidos em direção ao terapeuta. Nas palavras do próprio Freud:

> *Todas as vezes que tratamos psicanaliticamente um paciente neurótico, surge nele o estranho fenômeno chamado "transferência", isto é, o doente consagra ao médico uma série de sentimentos afetuosos, mesclados muitas vezes de hostilidade, não justificados em relações reais e que, pelas suas particularidades, devem provir de antigas fantasias tornadas inconscientes. Aquele trecho da vida sentimental cuja lembrança já não pode evocar, o paciente torna a vivê-lo nas relações com o médico.*
>
> FREUD, 1975

30 Segundo a psicanálise, histeria é uma neurose complexa, caracterizada pela instabilidade emocional. Os conflitos interiores manifestam-se em sintomas físicos, como, por exemplo, paralisia, cegueira, surdez etc. Pessoas histéricas frequentemente perdem o autocontrole devido a um pânico extremo. Foi intensamente estudada por Charcot e por Freud.

O fenômeno de transferência foi, ainda, identificado por Freud como o principal responsável pelo surgimento do transe hipnótico.

> *O estudo da transferência pode dar-lhes, ainda, a chave para compreenderem a sugestão hipnótica de que a princípio nos servimos como meio técnico de esquadrinhar o inconsciente dos doentes.*
>
> FREUD, 1975

Freud observou que a hipnose não resolvia as verdadeiras causas dos problemas psíquicos dos pacientes. Ele estava correto: afinal, a hipnose não cura nada. No entanto, observou que a hipnose poderia ser utilizada como excelente aliada não apenas na terapia, mas também na medicina.

A mesma crítica de Freud à hipnose pode ser hoje utilizada contra remédios para dormir. É evidente que o ideal é identificar as causas da insônia. No entanto, enquanto essa causa não é identificada, não faz sentido privar o paciente de boas horas de sono.

Outra crítica que costumava ser feita à hipnose nos tempos de Freud era acerca da suscetibilidade à hipnose. Segundo os psicanalistas da época, poucos sujeitos entravam nos níveis de transe necessários para a condução da terapia. Naqueles tempos, essa crítica realmente fazia sentido, já que pouco se sabia sobre as variadas técnicas de indução hipnótica, fossem elas diretas (hipnose clássica) ou indiretas (hipnose conversacional). Nos dias de hoje, essas críticas perdem o sentido, dado o incrível arsenal disponível para a hipnose, mesmo para os sujeitos mais resistentes ao processo.

No século XX, os estudos acerca do uso clínico da hipnose foram retomados por Milton Erickson (1901-1980), que desenvolveu numerosas ideias e técnicas de hipnose, bem diferentes daquilo que era comumente praticado. Seu estilo, habitualmente referido como "hipnose ericksoniana", é a fonte de grande parte dos estudos contemporâneos de hipnoterapia.

O que é o transe hipnótico?

A palavra "transe" é popularmente utilizada para identificar um estado anormal da mente. Em seu livro *Hipnose: fato ou fraude*, Adriano Facioli nos dá uma ótima definição psicológica para o transe hipnótico.

O termo transe deriva do latim transire, *o qual se refere à transição, mudança, passagem de um estado a outro. Esta ideia de transição se relaciona geralmente ao estado da consciência. Durante o transe, observa-se um estado de transição entre a vigília e o sono, semelhante ao sonambulismo. O sujeito não está completamente inconsciente, em sono, nem acordado. Costuma ocorrer uma alienação sensorial em relação ao que ocorre à sua volta, ou excessiva concentração em algum determinado ponto, o qual bloqueia a atenção para o resto.*

Os estados de transe possuem algumas características peculiares. Para tanto, enunciarei aqui algumas que julgo fundamentais:

***Restrição sensorial:** a consciência se parcializa ou até mesmo se fragmenta. O transe, além de poder ser provocado por isolamento sensorial, reitera o mesmo. O sujeito isola sua consciência em um determinado ponto e torna-se menos sensível ao resto.*

***Alta concentração da atenção:** o que não é muito diferente do que já foi dito acima. Embora, neste caso, a ênfase seja colocada no que é percebido e não no que se deixa de perceber. Com a atenção altamente concentrada e toda a consciência dirigida para um único ponto, é facilitada uma série de fenômenos, tais como relaxamento, anestesia, analgesia, letargia e catalepsia.*

***Aumento da sugestionabilidade:** quando induzida por outra pessoa ao transe, ocorre uma diminuição da própria vontade. O sujeito fica sem iniciativa e, assim, mais propenso a ser conduzido por sugestão externa.*

***Dissociação mental**: há uma capacidade de se vivenciar profundamente o que é sugerido, com a imersão própria do sonhar. O sujeito vivencia o que lhe é sugerido e não somente imagina. Porém, é capaz, nesse estado de transição, de perceber a presença externa do mundo ou do hipnotista. Sua mente opera em dissociação: uma parte "sonha" e vivencia a sugestão, enquanto a outra ainda permanece conectada ao mundo externo.*

FACIOLI, 2006

Além dessa definição, o termo "transe hipnótico" costuma ser utilizado para descrever estados alterados de consciência, similares aos que iogues, médiuns ou xamãs costumam atingir após dominarem as técnicas de meditação.

É importante ressaltar que "transe hipnótico" e "hipnose" não são termos necessariamente relacionados. Por exemplo, as teorias de não estado podem conceber a existência dos estados alterados de consciência, mas discordar da sua existência durante a hipnose. Em contrapartida, nas teorias de estado, o transe hipnótico é uma condição necessária para a existência do fenômeno hipnótico.

As práticas de meditação também favorecem o surgimento de transe hipnótico, e ambas são comumente confundidas. Como já dissemos, o principal motivo para tanto é que, de acordo com as teorias de estado, nos dois casos é possível um estado alterado de consciência.

Outra decorrência de o transe hipnótico ser um estado alterado de consciência é a associação equivocada da hipnose com uma perda da consciência e da vontade individual, como se o transe fosse um estado completamente disfuncional da mente. No entanto, como já foi dito, entramos em transe hipnótico várias vezes ao longo do dia. Experimentamo-lo quando nos pegamos sonhando acordados, dançando, ouvindo uma música, lendo um livro ou até mesmo assistindo à televisão. Além disso, até mesmo sessões de relaxamento, massagem e banhos quentes podem nos deixar em transe hipnótico.

Caso você seja religioso, provavelmente já participou de alguma oração ou até mesmo canção de louvor na igreja, mesquita, templo ou terreiro e sentiu-se completamente envolvido pela fé e devoção. Mais uma vez, você se encontrava sob transe hipnótico. Entenda: hipnose é sinônimo de alto grau de concentração. Então, estar hipnotizado enquanto trabalha, durante uma oração ou até mesmo durante uma sessão de relaxamento é algo extremamente natural.

As únicas diferenças entre o transe hipnótico a que nos submetemos diariamente e uma sessão de hipnose propriamente dita são o direcionamento e objetividade. Uma sessão de hipnose possui hora marcada e a objetivos bem definidos. Quando utilizada por um profissional sério, a hipnose é capaz de eliminar a dor e até mesmo diminuir sangramentos após cirurgias.

Rapport

Rapport é um termo bastante conhecido na hipnose e se refere ao vínculo de confiança que é estabelecido entre duas pessoas enquanto se comunicam, seja no trabalho, em uma conversa informal ou em uma sessão de terapia. De acordo com o contexto em que ele surge, ele adota formas e conceitos variados. Como dissemos anteriormente, os psicanalistas costumam chamar o *rapport* de "transferência". O psicoterapeuta Carl Rogers costumava dar a esse vínculo outro nome: empatia. Independentemente do contexto ou do nome que se dê a esse fenômeno, o *rapport* é o grande responsável pela maior parte do processo de hipnose ou de persuasão.

A seguir, você aprenderá as melhores maneiras de se criar *rapport*: seja em sua vida pessoal ou profissional.

O PODER DO TOQUE

Não é novidade alguma dizer que utilizamos nossos cinco sentidos para compreender o mundo à nossa volta. No entanto, frequentemente usamos apenas dois desses sentidos: a visão e a audição. O tato, olfato e o paladar são frequentemente esquecidos – apesar de sua importância em nosso dia a dia.

O que poucos percebem é que a importância do tato vai muito além da mera identificação de pessoas e objetos. Pesquisas indicam que até mesmo o mais leve toque no braço de outra pessoa pode trazer vantagens, tornar as pessoas mais solícitas ou até mesmo deixá-las mais propensas a responder a um questionário chato de uma pesquisa. Reuni, na sequência, alguns desses experimentos e sua aplicação em nosso cotidiano.

Em uma pesquisa realizada na década de 1970, os usuários de uma cabine telefônica, após serem levemente tocados no braço, se mostraram mais propensos a devolver um centavo perdido para o experimentador. Em outro experimento, realizado na década de 1980, verificou-se que as pessoas costumavam dar uma gorjeta maior às garçonetes que lhes deram um leve toque na parte superior do braço.

Pesquisas indicam que as pessoas também estão mais predispostas a oferecer ajuda quando são levemente tocadas. Em um estudo, por exemplo, os estranhos que foram tocados de leve no braço eram mais propensos a ajudar um experimentador que deixou alguns pacotes caírem no chão. Nesse experimento, o percentual de pessoas que ajudaram subiu de 63% para 90%.[31]

O aumento de empatia causado pelo toque é útil até mesmo na busca por assinaturas de uma petição. Em um estudo realizado por Willis e Hamm, em 1980, os participantes foram convidados a assinar uma petição. O leve toque mágico no braço mais uma vez operou milagres: a porcentagem de pessoas que concordaram em assinar a petição subiu de 55% para 81%. Em outra pesquisa similar, as pessoas eram solicitadas a preencher um questionário. O mesmo toque aumentou a aceitação da tarefa de 40% para 70%.[32]

---

31 A pesquisa está disponível em http://www.ncbi.nlm.nih.gov/pubmed/14658752. Acesso em 8 de janeiro de 2016.

32 Disponível em: http://dx.doi.org/10.1007/BF00987054. Acesso em 8 de janeiro de 2016.

No entanto, a aceitação de toque, especialmente entre os homens, depende muito da cultura. Em países com níveis mais elevados de homofobia, o resultado foi muito diferente para homens e mulheres. Na Polônia, por exemplo, os homens reagiram muito mal a um leve toque no braço. As mulheres, no entanto, ainda reagiram positivamente ao toque.[33]

O psicólogo francês Nicolas Guéguen passou sua carreira investigando alguns dos aspectos mais incomuns da vida cotidiana – o que incluiria, por exemplo, algumas pesquisas envolvendo a possível correlação entre o número de abordagens masculinas e o tamanho dos seios das mulheres contempladas.[34, 35]

Em meio a seus inusitados experimentos, Guéguen analisou o poder do toque. Conforme apresentado anteriormente, o leve toque no braço favorecia as pessoas em várias situações. O objetivo de Guéguen era descobrir se esse toque poderia aumentar as chances de alguém sair bem-sucedido em uma abordagem amorosa. Para descobrir a possível relação entre toque e sedução, o pesquisador selecionou um homem de vinte anos para abordar aproximadamente 120 mulheres em uma boate, durante o período de três semanas. As abordagens foram cuidadosamente controladas para garantir ao máximo a consistência do experimento. Todas as abordagens aconteceram da mesma maneira: enquanto alguma música lenta tocava, o jovem abordava a mulher e dizia "Olá! Meu nome é Antoine. Você quer dançar?". Em metade dessas abordagens, o pedido foi acompanhado de um leve toque na parte superior do braço da mulher, e na outra metade, o jovem não realizou o toque.

Se a mulher se recusasse, o homem dizia: "É uma pena, fica para a próxima" e tentava a sorte com outra mulher um pouco mais afastada. Se a mulher aceitasse, o homem explicava que ela tinha acabado de fazer parte de um experimento e lhe entregava uma folha contendo detalhes adicionais sobre o estudo.

Os resultados foram impressionantes: 43% das mulheres aceitaram o convite de dança quando não houve qualquer contato físico do homem. Em contrapartida, a porcentagem de mulheres que aceitou dançar aumentou para 65% quando o pedido era acompanhado por um leve toque no braço. Guéguen repetiu esse experimento com algumas variações e o resultado obtido foi o mesmo.

33 Disponível em: http://link.springer.com/article/10.1007%2Fs10919-010-0090-1. Acesso em 8 de janeiro de 2016.

34 GUÉGUEN, N. Women's bust size and men's courtship solicitation: a field experiment. *Body Image*, 4, 2007, pp. 386–390.

35 Idem. Bust size and hitchhiking: a field study. *Perceptual and Motor Skills*, 105, 2007, pp. 1294–1298.

Por que um toque é tão eficaz durante a paquera? Muitos psicólogos acreditam que a resposta tem a ver com sexo e valor social. Diversos trabalhos científicos sugerem que as mulheres acham homens de status social mais elevado mais atraentes do que os seus pares de status mais baixo. A partir de uma perspectiva evolucionista, esses homens seriam os companheiros ideais, pois estariam mais aptos a oferecer segurança para sua parceira e sua prole. No entanto, como poderia a mulher identificar o valor social de um homem que ela acaba de conhecer?

Em parte, pelo toque. Há evidências consideráveis de que um toque suave é percebido como um sinal de estatura elevada e de autoridade. Isso é particularmente verdadeiro quando os homens tocam as mulheres na parte superior do braço. Com frequência, esse toque nem é registrado de maneira consciente pelas mulheres, mas, inconscientemente, pode levá-las a considerar o homem que as tocou como um líder, ou seja, um ótimo partido. Mesmo em situações em que não exista interesse sexual, esse leve toque mostra liderança e ajuda no estabelecimento do *rapport*. Assim, ao estabelecê-lo, atenta-se à possibilidade de dar um leve toque no pulso do sujeito.

No entanto, ainda que o toque seja uma forte estratégia para estabelecer *rapport*, ele deve ser usado com precaução durante a hipnose. Em seus cursos, Sean Michael Andrews indica uma ótima maneira de avisar o sujeito sobre esses toques:

> *Durante o processo, irei pegar no seu pulso* [toque o pulso do sujeito com o indicador], *talvez toque o seu ombro,* [toque levemente o ombro do sujeito] *e talvez toque a sua testa* [toque levemente a testa do sujeito], *se não for um problema.*
>
> ANDREWS, 2014

Observe que Sean Michael não pede permissão. Ele simplesmente avisa sobre os toques e, ao final, dá uma leve abertura para que o sujeito não permita. Segundo o hipnotista, jamais houve um sujeito que não permitisse esse tipo de toque.

Hipnose frequentemente envolve algum tipo de toque nas mãos, no ombro e no rosto. Assim, sempre antecipe o sujeito em relação a esses toques.

RAPPORT INSTANTÂNEO

Na seção sobre detecção de mentiras, vamos abordar um fato bem curioso: as nossas expressões faciais emocionais não são determinadas culturalmente.

Ou seja, independentemente da cultura em que a pessoa está inserida, as expressões faciais de medo, raiva, tristeza, alegria, surpresa e nojo são as mesmas para todas as pessoas, independentemente da idade, sexo, etnia ou cultura.

Uma dessas expressões faciais está relacionada com o *rapport* instantâneo: a surpresa. Quando nos surpreendemos com alguma coisa, costumamos levantar, inconscientemente, nossas sobrancelhas por um breve período de tempo. A esse movimento damos o nome de *Eyebrow Flash*.

O *eyebrow flash* não aparece apenas em situações de surpresa. Quando as pessoas se encontram com algum amigo que não veem há muito tempo ou quando estão sexualmente interessadas por alguém, o mesmo movimento das sobrancelhas surgirá espontaneamente.

Conectando-se aos outros

Provavelmente, você já se emocionou ao assistir a algum filme. Medo, alegria, tristeza, raiva... Emoções reais que surgem de uma experiência conscientemente fictícia. Ou seja, o fato de você saber que se trata de um filme não é suficiente para que deixe de se emocionar. Nem mesmo o fato de você já ter visto aquele mesmo ator em diversos outros filmes, de gêneros completamente diferentes, é capaz de inibir suas emoções. Por que isso acontece? Por que nos emocionamos tão facilmente em situações que conscientemente sabemos que são irreais? Há mais de um século, a ciência busca respostas para essas perguntas. Atualmente, muitas dúvidas ainda persistem. No entanto, a ciência já avançou bastante nessa área e muitas perguntas já podem ser respondidas com base na descoberta dos neurônios espelho e sua relação com a habilidade dos primatas de sentirem empatia.

A empatia possui vários conceitos diferentes na ciência e na psicologia. No nosso caso, vamos inicialmente defini-la de uma forma mais simples. A empatia é uma habilidade que permite ao ser humano sentir e compreender as emoções, circunstâncias, intenções, pensamentos e necessidades de outras pessoas. A empatia possui dois componentes básicos: corporal e cognitivo.

O elemento corporal da empatia é o motivo pelo qual nos deixamos contagiar pelas emoções de outras pessoas. O simples fato de conversarmos com alguém que está triste já é capaz de alterar completamente nossas emoções e até mesmo a postura do nosso corpo. Esse é o chamado componente corporal da empatia e muitos mamíferos o possuem. É o motivo pelo qual seu cachorro realmente percebe quando você está triste, ou reage com um tipo de alegria quando estamos brincando com ele. Aliás, esse componente corporal da empatia é o principal responsável pelo fato de a maioria dos animais domésticos a quem dirigimos nosso maior afeto ser composta por mamíferos. Ainda que algumas pessoas possuam cobras, tartarugas ou até mesmo iguanas de estimação, esses animais nunca reagirão emocionalmente como cães, gatos, *hamsters* ou porquinhos-da-índia.

O segundo componente da empatia é cognitivo e apenas alguns primatas e elefantes o possuem: é a habilidade de enxergar o mundo pela perspectiva do outro animal. Esse componente cognitivo depende de células conhecidas como neurônios espelho. Estes são uma das maiores descobertas neurocientíficas de nosso século. Essas células nervosas possuem uma característica que as tornam únicas: são ativadas tanto quando um animal realiza algum ato, como quando observa outro animal realizando o mesmo ato. Provavelmente você já percebeu o quanto o ato de bocejar é contagioso. Os neurônios espelho estão intimamente ligados a esse fenômeno. Essas células são as responsáveis por nos conectarmos uns com os outros. Elas são as responsáveis por sermos capazes até mesmo de chorar compulsivamente após ler ou assistir uma história triste, mesmo que seja fictícia. Os neurônios espelho recriam em nós os sentimentos que assistimos na tela. Nós criamos empatia por personagens fictícios porque sabemos o que significa sentir todas as emoções que eles demonstram na trama.

Não podemos, entretanto, reduzir o fenômeno envolvendo neurônios espelho a uma mera imitação. Quando vemos alguém sofrer ou sentir muita dor, os neurônios espelho não alteram apenas nosso comportamento observável ou nossa postura corporal. Na verdade, surgem até mesmo alterações em nossos pensamentos. Isso explica por que assistir a algum jogo de futebol ou vôlei presencialmente é muito mais emocionante do que assistir pela TV. Quando realmente presenciamos esses eventos, os neurônios espelho nos transmitem a emoção do público de uma forma que a TV jamais seria capaz de reproduzir.

Esses neurônios também são os responsáveis pelo surgimento da moralidade em primatas. A moralidade possui dois componentes: a empatia (diretamente relacionada à presença dos neurônios espelho) e o senso de justiça e igualdade. Ao contrário do que se possa imaginar, sentimentos de ressentimento e justiça não são exclusivos aos seres humanos. Em uma pesquisa,[36] adestraram-se dois macacos-prego fêmeas para receberem um pedaço de pepino toda vez que cumprissem a tarefa de trazer uma pedra para os experimentadores. Ainda que pepino não seja o alimento favorito dessa espécie, elas repetirão voluntariamente essa tarefa por até 25 vezes seguidas.

---

36 Disponível em: http://www.nature.com/nature/journal/v425/n6955/abs/nature01963.html. Acesso em 8 de janeiro de 2016.

Depois de mostrarem bastante domínio na execução da tarefa para ganhar os pepinos, houve uma mudança no experimento. O pesquisador criou uma desigualdade entre os animais. Após entregarem as pedras, a primeira macaca recebeu o habitual pepino, enquanto a segunda recebeu uma uva, o alimento favorito desses animais. Após entregarem a segunda pedra, a primeira macaca ganhou novamente um pepino e a segunda recebeu outra uva. Nesse momento, a macaca que recebeu o pepino fica com bastante raiva e o atira de volta para o experimentador. Você pode assistir a esse experimento no TED, em uma palestra do primatologista Frans de Waal.[37]

Apesar de essas definições biológicas de empatia serem importantes no campo da ciência, elas se tornam insuficientes na prática. Dessa maneira, para entendermos melhor as maneiras de nos conectarmos aos outros, definiremos empatia de uma forma um pouco diferente a partir de agora. Antes disso, contudo, precisamos conhecer um pouco sobre o trabalho do psicólogo Carl Rogers.

Tornar-se pessoa

Carl Rogers (1902-1987) foi um psicólogo norte-americano influente e um dos fundadores da abordagem humanista (ou abordagem centrada no cliente) na psicologia. Ele foi o primeiro a gravar as sessões de terapia com o objetivo de estudar cientificamente a eficácia terapêutica. Essas gravações eram autorizadas pelos próprios pacientes e permitiram a Rogers descobrir respostas para algumas perguntas que, até então, permaneciam sem solução.

A primeira delas era: o terapeuta realmente é imprescindível para o processo terapêutico? Na época, Rogers já tinha percebido que, muitas vezes, uma conversa com um amigo ou até mesmo com um desconhecido dentro de um ônibus era mais valiosa do que sessões inteiras de terapia.

Para chegar a uma resposta para essa e várias outras perguntas, Rogers criou alguns conceitos, que serão identificados a seguir.

37 Disponível em: http://www.ted.com/talks/frans_de_waal_do_animals_have_morals/. Acesso em 8 de janeiro de 2016.

Locus de avaliação

Cada um de nós possui um código moral por trás de nossos pensamentos ou atitudes. Nossos valores envolvem nosso senso de certo ou errado. O *locus* de avaliação refere-se à fonte de todos os valores da pessoa e pode ser interno ou externo. Se a origem for interna, a pessoa é o centro do processo de valorização. Em contrapartida, se o *locus* for externo, a pessoa depende dos pontos de vista dos outros, especialmente pessoas de autoridade ou de outras fontes autorizadas, para guiar suas vidas.

Rogers identificava o processo de avaliação por meio do *locus* interno como um sinal de autonomia, de autocontrole e de saúde mental. O *locus* interno guarda valores que são autenticamente seus.

Apesar da confiança e autonomia decorrente de seguirmos nossos próprios ideais, algumas pessoas muitas vezes preferem permitir que outras pessoas guiem ou influenciem suas próprias decisões. Quando o fazem, se iludem pela falsa esperança de tomar uma decisão aparentemente segura. Além disso, sentem-se beneficiadas pela remoção total da responsabilidade pelas consequências de seus atos. É mais cômodo simplesmente atribuir a alguém a responsabilidade pela sua vida. Em terapia, Rogers percebeu que o sujeito não poderia apenas seguir as orientações do seu terapeuta. Na verdade, ele percebeu que, quando fazemos escolhas realmente autênticas, estamos propiciando o surgimento do contexto terapêutico.

Aceitação positiva incondicional

As pessoas experimentam a aceitação positiva quando percebem que algum aspecto de sua experiência pessoal (por exemplo, sentimentos, crenças) ou comportamento faz uma diferença positiva ou é valorizada por outra pessoa. Rogers vê a necessidade de aceitação positiva como uma necessidade básica, essencial para o bem-estar das pessoas. Dessa maneira, ele identifica que o contexto terapêutico só surgirá se houver uma aceitação positiva incondicional por parte daquele que ouve. Ou seja, o terapeuta deve aceitar de forma positiva e incondicional o seu paciente, independentemente de seus comportamentos. Quando os pacientes experimentam a aceitação positiva e incondicional de seus terapeutas, eles se sentem mais aceitos e valorizados, o que lhes permite desenvolver sentimentos mais tolerantes e aceitáveis em relação a eles mesmos.

Alguns teóricos argumentam que a aceitação positiva incondicional é um ideal inatingível. No entanto, independentemente disso, quanto mais os clientes se sentirem aceitos e valorizados por seus terapeutas, mais estarão propensos a desenvolver opiniões positivas. Consequentemente, os pacientes aprendem a se aceitar como pessoas imperfeitas, mas dignas.

A aceitação positiva incondicional explicaria por que, por muitas vezes, o ombro consolador de um amigo é mais terapêutico do que dezenas de sessões de terapia. Muitas vezes, esse amigo não diz nenhuma palavra. Apesar disso, ele oferece a única coisa que precisamos naquele momento: aceitação positiva incondicional. Aliás, isso justifica a existência de diversos grupos de ajuda, como Alcoólicos Anônimos, Narcóticos Anônimos, Mulheres que Amam Demais Anônimas etc. Ao participar desses grupos, os sujeitos sabem que não encontrarão nas reuniões qualquer olhar inquisidor sobre suas atitudes, o que propiciará o surgimento de um contexto terapêutico.

Ainda que Rogers inicialmente tenha observado a necessidade da aceitação positiva incondicional nos processos terapêuticos, posteriormente, ele identificou a necessidade dessa aceitação em diversos outros contextos, como na educação e nas mais variadas relações humanas.

Empatia

O conceito de empatia, para Carl Rogers, vai muito além do entendimento biológico. Para ele, a empatia existe quando uma pessoa percebe, com precisão, o quadro de referência interno de outra pessoa, com os componentes emocionais e significados que pertencem à mesma, como se fosse a outra pessoa, mas sem nunca perder a condição "como se". Desse modo, a empatia é um dos principais meios pelos quais nós nos vinculamos às outras pessoas, apreendendo suas visões de mundo e realidades. Empatia implica usar nossa imaginação e poder de inferência para entender genuinamente o que é ser essa outra pessoa, dado o contexto em que ela está inserida.

Em qualquer situação que envolva comunicação, seja uma reunião de negócios, um consultório ou até mesmo uma apresentação de um trabalho na faculdade, é essencial a criação do *rapport.* Sem sombra de dúvidas, a busca pelo estabelecimento desse vínculo passará, em alguma medida, por esse conceito de empatia.

Rapport na hipnose

Anteriormente, definimos hipnose como o uso da linguagem para a criação de novas realidades. Ou seja: hipnose é comunicação. Dessa maneira, todas as dicas de *rapport* dadas até agora neste capítulo também são válidas para a hipnose.

No entanto, existem algumas dicas específicas para o *rapport* na hipnose, que abordaremos agora.

Prestígio do hipnotista

Sua confiança em sua capacidade de hipnotizar as pessoas tem papel fundamental na eficácia de suas induções. Se você parecer minimamente hesitante, sua habilidade reduzirá drasticamente. É por isso que é tão importante praticar: a prática acaba nos dando confiança. Se estamos confiantes, as pessoas perceberão isso e estarão bem mais suscetíveis ao processo. Ainda que não esteja confiante, evite frases que delatem sua insegurança. Nunca diga: "Bem, vamos ver se consigo hipnotizá-lo". Dirija-se ao sujeito como se você tivesse certeza de que ele será hipnotizado. Uma das minhas frases favoritas é: "Você prefere ser hipnotizado de forma rápida ou lenta?"

Suponha que eu acabe de executar algum teste de suscetibilidade e tenha sido um sucesso. Após a rotina, eu pergunto: "O que achou da experiência?" Independentemente do termo utilizado pelo sujeito, eu o repito e ofereço uma experiência hipnótica ainda maior. Por exemplo, imagine que o sujeito tenha dito que a experiência foi incrível. Eu simplesmente digo: "Gostaria de ter outra experiência hipnótica ainda mais incrível?".

Outra possível vantagem para estabelecer o *rapport* é sua reputação. Se você for um hipnotista renomado, inevitavelmente as pessoas estarão mais suscetíveis ao processo. Sempre me impressiono quando Fábio Puentes faz alguma apresentação na TV. O fato de ele estar na TV há mais de 20 anos, hipnotizando várias gerações de pessoas, tem enorme papel na receptividade dos sujeitos ao processo. Quando Puentes faz o teste das mãos coladas na TV, a quantidade de sujeitos que não consegue soltá-las é incrível! Talvez você não seja ainda um hipnotista de renome. Mesmo assim, sua reputação é fundamental para o processo. Se os sujeitos já tiverem ouvido falar de alguma indução hipnótica bem-sucedida, a receptividade ao participarem do processo aumenta consideravelmente. Utilize ao máximo seu prestígio de hipnotista e garanta a receptividade de sua audiência.

Transforme ansiedade em excitação

Existem sujeitos que esperam ansiosamente pelo transe hipnótico. No entanto, a possibilidade de entrar em transe acaba deixando-os ansiosos e pouco concentrados.

Provavelmente, você já ficou ansioso minutos antes de fazer uma prova ou de realizar uma palestra. Nesses casos, o primeiro conselho que as pessoas tentam dar é dizer para a pessoa acalmar-se. Uma pesquisa,[38] entretanto, indica que esse pode ser um péssimo conselho. Nela, 140 participantes (63 homens e 77 mulheres) foram instruídos a preparar uma palestra convincente, contando os motivos pelos quais seriam bons parceiros de trabalho. Para aumentar a ansiedade dos participantes, o pesquisador disse que filmaria as palestras para serem avaliadas por uma comissão. Antes da apresentação, os sujeitos foram divididos em dois grupos. O primeiro foi instruído a dizer para si mesmo a frase "Estou animado" antes de começar. Já o segundo grupo foi orientado a falar para si mesmo a frase "Eu estou calmo". Os indivíduos que disseram que estavam animados fizeram discursos mais longos e eram mais persuasivos, competentes e descontraídos do que os que disseram que estavam calmos.

Essa pesquisa foi ainda repetida em contextos diferentes: minutos antes de uma prova de matemática ou de uma apresentação de *karaokê*. Mesmo nessa diversidade de contextos, os resultados foram os mesmos: o conselho para ficar animado funcionava bem melhor do que o para ficar calmo.

Apesar de ser um resultado aparentemente inusitado, ele faz muito sentido: as reações fisiológicas envolvendo excitação e ansiedade são mais semelhantes do que quando comparamos relaxamento e ansiedade. Assim, nessas situações, procure aconselhar o participante a ficar mais animado e excitado pela possibilidade de entrar em transe.

Hipnose de palco

Conforme dissemos anteriormente, na hipnose de palco o *rapport* se inicia bem antes de o hipnotista surgir no palco, com a música de fundo. No entanto, existem mais elementos necessários para se gerar expectativa e *rapport* em um espetáculo de hipnose, seja no teatro ou na TV.

38 Disponível em: http://www.apa.org/news/press/releases/2013/12/performance-anxiety.aspx. Acesso em 8 de janeiro de 2016.

O poder da música

A música exerce um grande efeito sobre o nosso comportamento. Músicas rápidas costumam nos deixar alertas e cheios de energia. Aliás, quem já malhou ao som da trilha sonora do filme *Rocky* certamente sabe do que estou falando. A música pode facilitar a nossa motivação para o exercício, aumentar nossa resistência, concentração e motivação.

Dessa maneira, se optar por utilizar músicas nas sessões de hipnose, lembre-se: as músicas devem ser relacionadas às suas rotinas. Seguem algumas sugestões de acordo com seus objetivos.

Hipnose de palco: música de abertura

Os grandes espetáculos de hipnose ao redor do mundo costumam começar 30 minutos antes de o hipnotista entrar no palco. Nesse tempo, enquanto as pessoas se acomodam, começa a tocar uma música. Essa música é chamada pelos hipnotistas de "música de abertura".

Quando a música de abertura começa a tocar, nem mesmo os assistentes subiram ao palco. Todos continuam no *backstage*, aguardando o momento certo para entrar.

É importante que seu público fique relaxado. Algumas dessas pessoas podem estar muito ansiosas e com medo do que as espera. Talvez elas nunca tenham assistido a um *show* de hipnose e não façam ideia do que as espera. Talvez estejam ansiosas pela possibilidade de subirem ou não ao palco para participar do espetáculo. Independentemente do motivo que as está deixando ansiosas, a música ajuda a colocá-las mais à vontade.

Alguns hipnotistas tocam *rock* ou músicas dançantes atuais na abertura do *show*. Essas músicas transmitem uma sensação de familiaridade, que permite ao público sentir-se mais confortável.

Outros hipnotistas costumam utilizar músicas alternativas, como do gênero *new age*, para a abertura do *show*. Ainda que elas sejam menos energéticas e familiares, aumentam a expectativa do público, sugerindo que algo surpreendente está para acontecer.

A escolha da trilha sonora de abertura pode variar, mas é importante que ela mexa com você e o deixe animado para realizar um grande espetáculo.

Abaixo, estão listadas sugestões não apenas para a abertura de espetáculos de hipnose, mas também para palestras motivacionais e até mesmo para escutar na academia. É uma lista bem variada e deve atender a todos os gostos.

- AC/DC – "Back in Black"
- AC/DC – "Highway to Hell"
- Avicii – "Wake Me Up"
- Bill Conti – "Gonna Fly Now"
- Bob Sinclar – "Love Generation"
- Black Sabbath – "Paranoid"
- Bon Jovi – "It's My Life"
- Bon Jovi – "Living on a Prayer"
- Bryan Adams – "Summer of '69"
- Coolio – "Gangsta's Paradise"
- Eminem – "Lose Yourself"
- Fort Minor – "Remember the Name"
- George Michael – "Faith"
- Guns N' Roses – "Welcome to the Jungle"
- Huey Lewis and the News – "The Power of Love"
- Inner Circle – "Bad Boys"
- Michael Jackson – "Beat It"
- Michael Jackson – "Smooth Criminal"
- Michael Jackson – "Thriller"
- Pat Benatar – "All Fired Up"
- Queen – "We Will Rock You"
- Queen – "We are the Champions"
- Queens of the Stone Age – "You Think I Ain't Worth a Dollar, But I Feel Like a Millionaire"
- Rammstein – "Du Hast"
- Red Hot Chili Peppers – "Give It Away"
- Robert Tepper – "No Easy Way Out"
- Skid Row – "Monkey Business"
- Survivor – "Burning Heart"
- Survivor – "Eye of the Tiger"
- System of a Down – "Chop Suey!"
- The Black Eyed Peas – "I Gotta Feeling"
- The Black Eyed Peas – "Pump It"
- Tina Turner –"The Best"
- Toto – "Africa"
- 2pac – "Changes"
- Van Halen – "Jump"

- Van Halen – "Right Now"
- Wham! – "Wake Me Up Before You Go-Go"
- White Snake – "Is This Love"

Dado o caráter naturalmente hipnótico das músicas, o ideal é que exista sempre uma trilha de fundo durante todo o espetáculo de hipnose. Alguns hipnotistas costumam utilizar músicas específicas para cada número. Por exemplo, suponha que o hipnotista tenha dado uma sugestão na qual o sujeito é um boxeador. Nesse caso, o uso da música "Gonna Fly Now", tema do filme *Rocky*, certamente agregaria vários elementos hipnóticos à apresentação.

Hipnoterapia, auto-hipnose, meditação ou relaxamento

Como sabemos, hipnoterapia, auto-hipnose, meditação e relaxamento são procedimentos bem diferentes. No entanto, eles possuem algo que costuma ser comum: a trilha sonora. Adeptos da meditação ou ioga frequentemente utilizam alguma música relaxante. Músicas lentas e tranquilas costumam nos relaxar, assim como os sons da natureza, também usados nessas atividades: sons que emanam do oceano, o cantar dos pássaros, o barulho da chuva em uma floresta ou o sussurro do vento através das árvores costumam nos deixar serenos e calmos. Aliás, por várias gerações, canções de ninar têm ajudado crianças não apenas a adormecer, mas a se acalmar.

Veja algumas músicas para relaxamento, meditação ou sessões de hipnose.

- Airstream – "Electra"
- Cafe Del Mar – "We Can Fly"
- DJ Shah – "Mellomaniac (Chill Out Mix)"
- Enigma – "Age of Loneliness"
- Enigma – "Return to Innocence"
- Enigma – "Sadeness (Part I)"
- Enigma – "Beyond the Invisible"
- Enigma – "Gravity of Love"
- Enigma – "Mea Culpa (Part II)"
- Enigma – "Out from the Deep"
- Enigma – "Principles of Lust"
- Enigma – "The Eyes of Truth"
- Enya – "Caribbean Blue"
- Enya – "Anywhere Is"

- Enya – "Evening Falls"
- Enya – "Exile"
- Enya – "May It be"
- Enya – "Only Time"
- Enya – "Orinoco Flow"
- Enya – "Wild Child"
- Marconi Union – "Weightless"
- Michael Stearns – "Mantra / Organics"
- Michael Stearns – "Night Currents"
- Michael Stearns – "The Host of Seraphim"
- Michael Stearns – "Wipala"
- Mozart – "Sull'aria... Che soave zeffiretto"
- Seal – "Kiss from a Rose"
- Yanni – "Keys to Imagination"
- Yanni – "Nightingale"
- Yanni – "Nostalgia"
- Yanni – "One Man's Dream"
- Yanni – "Rainmaker"
- Yanni – "The Storm"
- Yanni – "Within Attraction"

Hipnose de palco

Hipnose de palco é a demonstração pública dos efeitos da sugestão hipnótica em uma ou mais pessoas, com o objetivo de entreter uma plateia. Muitos profissionais da saúde, como médicos, dentistas e hipnoterapeutas possuem alguma rejeição a esse uso da hipnose. Aliás, o próprio Conselho Federal de Psicologia proíbe essa prática por parte dos psicólogos.[39] O motivo para toda essa rejeição é bastante simples: muitos dos mitos relacionados à hipnose são decorrentes de manifestações de hipnose de palco. Nesses espetáculos, alguns dos voluntários envolvidos com a apresentação nos dão a impressão de que estão completamente à mercê das vontades do hipnotista. No entanto, não é bem isso que acontece. Na verdade, ao serem convidados para participar do *show*, os voluntários sabem que terão que fazer coisas bobas na frente de uma plateia

39 Resolução CFP nº 13/2000, art. 3º:
"É vedado ao psicólogo a utilização da hipnose como instrumento de mera demonstração fútil ou de caráter sensacionalista ou que crie situações constrangedoras às pessoas que estão se submetendo ao processo hipnótico."

e acham isso divertido. As pessoas que apresentam resistência para participar, ou mesmo que devolvem respostas tímidas, são rapidamente convidadas para retornar à plateia. O sucesso da hipnose de palco é decorrente de dois fatores: a estatística e o fenômeno da conformidade.

Inicialmente, precisamos entender o quanto a estatística está ao lado do hipnotista. Conforme visto anteriormente, em média, 75% das pessoas são suscetíveis a alguma rotina de hipnose. Além disso, ao menos 20% são vulneráveis à maioria das rotinas complexas apresentadas no palco (alucinações positivas e negativas, por exemplo). Dessa maneira, é provável que, em uma plateia com cerca de 100 pessoas, tenhamos ao menos 20 pessoas muito receptivas à hipnose. Dessas 20 pessoas, talvez 15 delas gostem muito da ideia de participar da apresentação. Essas serão as pessoas escolhidas para participar do *show*. Além disso, o fenômeno da conformidade pública garantirá que alguns sujeitos finjam estar sendo hipnotizados, ainda que não estejam.

Os participantes que são receptivos à hipnose perderão, em certa medida, suas inibições. Apesar disso, o voluntário dificilmente faria algo que fosse contra sua moral. Por exemplo, se entregarmos um copo de champanhe a um dos participantes, alguém que não bebe irá se recusar a beber – ainda que seja altamente receptivo ao transe hipnótico. É importante ressaltar que existe um pequeno risco de algumas pessoas altamente receptivas ao transe hipnótico realizarem tarefas que vão contra sua moral. Por exemplo, um abstêmio poderia beber um copo de uísque, caso fosse bastante receptivo ao transe hipnótico e lhe fosse sugerido que o copo era de chá. Analogamente, alguém poderia ser induzido a despir-se, caso lhe fosse sugerido estar tomando banho em sua casa. Apesar dessas possibilidades, dificilmente alguém se utilizaria desses artifícios em um *show* de hipnose de palco: o próprio público reagiria mal a um número assim. Posteriormente, você aprenderá os ingredientes necessários para se criar um bom *show* de hipnose de palco.

A importância das apresentações públicas

Pessoalmente, gosto bastante dos *shows* de hipnose. Sem eles, os programas de televisão jamais teriam interesse em abordar o tema. Após o *show*, o hipnotista terá a oportunidade de apresentar as outras aplicações da hipnose, como, por exemplo, na inibição da dor ou como ferramenta psicoterápica. Antônio Carreiro, um dos maiores estudiosos de hipnose do país, também é favorável às apresentações públicas de hipnose de palco.

A mais complexa sessão de hipnose é a demonstração pública, porque nessa não se admitem falhas e a indução coletiva exige atenção redobrada em função do número de assistentes e dos hipnotizados simultaneamente. O hipnotismo de palco exige do hipnotista a chamada força moral, autocontrole e presença de espírito, e tem que ser o mais proficiente dos hipnotistas, porque o público é exigente e particularmente propenso a ver tudo como um processo fraudulento. Embora esse público seja generoso quando acredita no que vê, consagra o hipnotista quando narra os fatos acontecidos, dando seu testemunho de veracidade. É por isso que o hipnotista de palco tem a imperiosa necessidade de êxito. Enquanto um insucesso numa indução de gabinete repercute de forma depressiva, sobretudo no hipnotista novo ainda necessitando de estímulo, um fracasso em público é para ele algo desastroso; a frustração é suficiente até para inibir outra tentativa.

CARREIRO, 2007

Karl Weissmann também tinha opinião semelhante:

Um erro digno de registro, cometido pela quase totalidade dos autores de livros sobre hipnotismo médico, é a clássica informação segundo a qual os hipnotistas de palco utilizam, invariavelmente, elementos ensaiados ou previamente condicionados à hipnose. Vai nessa generalização um pouco de tendenciosidade e a expressão natural da inveja daqueles que, realizando os mesmos trabalhos, discreta ou anonimamente, não desfrutam das gratificações emocionais (e materiais) provenientes da consagração pública ou publicitária.

O público do hipnotista profissional é mais exigente do que a clientela do hipnoterapeuta, e particularmente [mais] propenso a ver processos fraudulentos em tudo.

WEISSMANN, 1958

Hipnoterapia

Psicoterapia é um termo genérico utilizado para descrever o processo de tratamento de distúrbios psicológicos ou angústia mental. Durante esse procedimento, um psicoterapeuta treinado (geralmente com formação em psiquiatria, psicologia e/ou psicanálise) ajuda o cliente a resolver um problema específico ou geral, como uma doença mental em particular ou uma fonte de estresse da vida. Dependendo do método utilizado pelo terapeuta, uma vasta gama de técnicas e estratégias pode ser usada, inclusive a hipnose.

Hipnoterapia é simplesmente o uso da hipnose para fins terapêuticos. Ao contrário do que se possa imaginar, hipnoterapia não é um tipo de psicoterapia. Retomando o que já explicamos, a hipnose é uma ferramenta que pode ser associada a qualquer linha terapêutica, seja ela na psicologia ou em qualquer prática de terapia alternativa. Atualmente, costumamos dividir as técnicas de hipnoterapia em dois tipos: clássica e ericksoniana.

A hipnoterapia clássica utiliza uma linguagem de comando, conhecida como "sugestão direta". Em contrapartida, a hipnoterapia ericksoniana utiliza-se de sugestões indiretas. Sugestões indiretas são muito mais difíceis de resistir, porque muitas vezes não são reconhecidas como sugestões pela mente consciente, já que geralmente são apresentadas na forma de metáforas.

Veja a seguir alguns detalhes de cada uma dessas técnicas.

Hipnose conversacional

Provavelmente, você já passou horas e horas conversando com alguém, sem que percebesse o tempo passando. Nesses casos, a interação por meio da conversa é suficiente para atingirmos o transe hipnótico. Segundo Erickson, algo similar ao que ocorre em terapia. Ele acreditava que, ao chegar ao seu consultório, seus clientes estariam muito motivados e propensos a realizar o processo terapêutico. Dessa maneira, na maior parte dos casos, a indução hipnótica formal seria dispensável, visto que esses clientes já teriam a motivação necessária para entrar em transe naturalmente por meio da conversa. Sofia Bauer, a hipnoterapeuta ericksoniana mais famosa do país, discorre muito bem sobre as induções indiretas de Erickson.

> *Veja o Diamante de Erickson, um metamodelo de hipnoterapia. É um método baseado numa linguagem de fácil acesso a cada cliente. A linguagem dele mesmo, por meio de sugestões indiretas, mas não só e exclusivamente estas, podendo se utilizar das sugestões diretas na construção de um transe mais maleável e natural a cada pessoa.*
>
> *Baseia-se em utilizar coisas do próprio cliente para colocá-lo em transe e não em induzir um transe formal ou colocar uma fita de indução impessoal. O transe é visto como uma experiência natural a todas as pessoas. O terapeuta, então, captura a atenção do cliente através de aspectos de interesse deste e com a sua linguagem característica. A espontaneidade é parte*

fundamental para aceitar o que o cliente traz, até mesmo a resistência, e se utilizar desse material para ir passo a passo para dentro do cliente, o que naturalmente nos impede de ter uma metodologia muito formal.

BAUER, 2000

Hipnose clássica

A abordagem clássica ou diretiva também identifica o transe hipnótico como um fenômeno natural. Por outro lado, ao contrário da abordagem ericksoniana, a tradicional não utiliza metáforas: ela é literal e direta. Além disso, a hipnose tradicional considera essencial a indução do transe hipnótico.

De acordo com esse método, o inconsciente é extremamente receptivo à sugestão quando em um estado de transe. Dessa maneira, em vez de usar metáforas, o terapeuta realiza uma sugestão direta e específica, de acordo com os objetivos do cliente.

A hipnose clássica costuma ser dividida em cinco etapas distintas:

Passo 1: Motivação – A motivação é a grande responsável pelo fim dos eventuais bloqueios para o transe hipnótico. Sem ela, o indivíduo terá bastante dificuldade para praticar a auto-hipnose.

Passo 2: Anamnese – Esta é a primeira etapa de qualquer processo de hipnoterapia. Durante a anamnese, o hipnoterapeuta descobre um pouco mais sobre seu cliente, sua rotina, seus valores, seu histórico médico e, principalmente, suas queixas. É nesse momento que o hipnoterapeuta realiza o *pre-talk* e procura estabelecer *rapport* com seu cliente. Antes de realmente começar algum processo indutivo, é essencial uma conversa prévia. Quando um cliente vem até você para uma consulta de hipnoterapia, ele não vai simplesmente entrar, sentar-se na cadeira e entrar em transe. Portanto, é necessário antes passar algum tempo com ele e realizar uma entrevista de avaliação como parte do *pre-talk*.

Essa conversa é o momento ideal para prestar alguns esclarecimentos ao cliente. O primeiro passo é indicar que hipnose e sono são estados completamente diferentes. Explique que, apesar disso, você utilizará as palavras "sono" ou "dormir" simplesmente porque são mais simples. Além disso, esse é um momento adequado para explicar o significado do termo "transe". Obviamente, não será necessário comentar sobre as teorias de estado e não estado. Basta explicar que o transe é um fenômeno bastante comum no nosso dia a dia, não sendo exclusivo a shows de hipnose ou clínicas de hipnoterapia. Assim, a importância da etapa de anamnese vai bem além da lista de queixas do cliente. Na verdade, ela já é o início do processo.

Passo 3: Relaxamento – Apesar de não ser regra,[40] a maioria das sessões de hipnose costuma começar com algum tipo de exercício de relaxamento para liberar o corpo da tensão superficial. Uma técnica comum é o relaxamento progressivo, no qual o cliente se concentra e relaxa um grupo muscular por vez, até que todo o corpo se acalme. Essa prática costuma induzir a um estado hipnótico leve.

Passo 4: A indução hipnótica – Depois do relaxamento físico, é preciso relaxar a mente do cliente. Esse relaxamento mental acontece durante o processo de indução hipnótica. Há dezenas de métodos de indução possíveis, a maioria dos quais projetada para redirecionar ou distrair o filtro crítico da mente consciente. Após o fim do filtro crítico de nosso consciente, o inconsciente pode absorver as sugestões sem impedimentos. Muitos métodos de indução costumam incluir algum tipo de contagem, porque os números podem ser utilizados como uma medida dos níveis de relaxamento e hipnose.

Em hipnose de palco ou até mesmo na clínica, é comum utilizar os testes de suscetibilidade. São testes geralmente baseados no movimento ideomotor e capazes de sinalizar os indivíduos mais suscetíveis para o processo. Posteriormente, abordaremos alguns desses testes.

Passo 5: Sugestões hipnóticas e pós-hipnóticas – Uma vez que um nível satisfatório de hipnose tenha sido alcançado, o cliente estará pronto para aceitar sugestões do hipnoterapeuta. Às vezes, as primeiras sugestões envolvem o aprofundamento da própria hipnose, com o objetivo de se obter um transe mais profundo. Geralmente, esse aprofundamento é obtido com uma simples sugestão ("Você está indo mais a fundo no processo hipnótico"). Durante as sessões de hipnoterapia, o terapeuta costuma testar várias sugestões de aprofundamento do transe para perceber com qual delas o cliente melhor se identifica.

Após se obter o aprofundamento do transe hipnótico, sugestões para a mudança imediata (hipnóticas) ou futura (pós-hipnóticas) são instigadas verbalmente. Suponha, por exemplo, que você esteja realizando sessões de hipnoterapia com o objetivo de parar de fumar. Nesse caso, um exemplo de sugestão hipnótica imediata seria: "Agora, você é um não fumante e permanecerá

40 Técnicas de indução instantâneas ou rápidas geralmente dispensam a necessidade do relaxamento prévio.

assim". Outra opção é plantar uma sugestão que só será acionada no futuro, como: "Sempre que você vir um cigarro, vai se lembrar de seu cheiro e gosto repugnantes". Uma sessão de hipnoterapia costuma oferecer várias sugestões diferentes. No entanto, elas normalmente se concentram em um único tópico (por exemplo: fim do tabagismo, perda de peso, aumento de confiança, entre outros).

É importante ressaltar que na hipnose tradicional também há interação entre o paciente e o terapeuta por meio da conversa. A abordagem de Erickson é interativa durante a própria sessão hipnótica, enquanto a abordagem diretiva é mais interativa antes da sessão.

Passo 6: Retorno da hipnose – Finalmente, o cliente deverá sair do transe hipnótico. Alguns hipnólogos se referem a esse passo como o "despertar da hipnose". Apesar de ser uma expressão muito utilizada, o termo "despertar" é um pouco equivocado. Como vimos, hipnose não é o mesmo que sono; assim, não faria sentido falar em um despertar desse estado.

Perigos da hipnose

Svengali e Trilby

O romance *Trilby*, publicado em 1894, foi um dos primeiros *best-sellers* da história, tendo vendido, apenas nos EUA, mais de 200 mil cópias. Além disso, foi o primeiro livro a introduzir os perigos da hipnose para o grande público. Apesar de conter vários erros teóricos, foi o grande responsável pelas primeiras discussões envolvendo os perigos do uso irresponsável da hipnose. Mesmo que vários hipnotistas não admitam os perigos envolvendo a técnica, a história de *Trilby* não foi completamente esquecida e, até hoje, Svengali – nome do hipnotista mal-intencionado – é sinônimo de manipulação mental.

As histórias do livro se iniciam na boêmia Paris da década de 1850. Ainda que o livro fale de dois artistas ingleses e um artista escocês, o personagem mais memorável é certamente Svengali, um maestro de meia-idade, malsucedido, que domina completamente a arte do hipnotismo. Devido a problemas financeiros, Svengali usa sua habilidade como hipnotista para aplicar pequenos golpes financeiros na região onde mora. Por um acaso, o maestro conhece Trilby, uma modelo de sucesso em Paris e, ao ouvi-la cantar, Svengali percebe que ela é muito desafinada. Por outro lado, o maestro nota que a voz possui uma grande potência e que bastaria aprender a cantar para ela ser uma grande artista.

Certo dia, Svengali se encontra novamente com Trilby. Enquanto conversavam, a garota reclama de uma forte dor de cabeça. Após ouvir seu lamento, o maestro se propõe a curá-la. Para isso, bastaria que ela olhasse para seus olhos e ficasse atenta à sua voz. Svengali, entretanto, vai além e não apenas cura a dor de cabeça da garota, como lhe dá sugestões de amnésia pós-hipnótica, fazendo com que Trilby simplesmente não se lembre de nada. A partir desse dia, Svengali passa a hipnotizar Trilby com frequência, levando-a a ter uma dupla personalidade. Em transe, ela se tornava uma cantora brilhante. No entanto, após a sessão, ela não se lembrava do que havia ocorrido.

Assim, aos poucos, o maestro transforma a garota confiante e independente em uma mera marionete. Os dias passam, e Trilby enriquece Svengali com suas apresentações de canto em concertos musicais.

Não vou contar o final dessa história – não seria justo com você. Se quiser descobrir o que acontece com Trilby, a adaptação em filme já está em domínio público nos EUA e se encontra na *web*,[41] com legendas em inglês. A importância de trazer essa história é que ela foi uma das primeiras a abordar o uso da hipnose para fins escusos. A hipnose realmente pode ser uma ferramenta perigosa e manipuladora – ainda que não exatamente da maneira apresentada pelo livro.

Muitas vezes, as pessoas imaginam que, sob hipnose, serão capazes de realizar atos que vão completamente contra seus valores morais. Isso é muito pouco provável. No entanto, é de fato possível convencer um sujeito de que, naquele momento, determinada atitude é correta. Por exemplo, na Itália, um ladrão teria hipnotizado uma funcionária de supermercado e a convencido a entregar a ele cerca de 800 euros.[42] Provavelmente, roubar o supermercado iria contra os princípios morais da funcionária. No entanto, o ladrão pode tê-la hipnotizado, convencendo-a de que ele seria um amigo do dono do supermercado ou até mesmo o próprio dono. Ainda que ela não tivesse violado seus princípios morais, foi convencida a cometer um delito. Casos como esse são extremamente raros, mas não podem ser ignorados.

Nos programas de TV, hipnotistas frequentemente dizem que não há perigo algum na prática. No entanto, existem alguns pequenos riscos e é importante alertar sobre todos os perigos reais envolvidos no hipnotismo.

41 Disponível em https://www.youtube.com/watch?v=nuy1L6fkGSA. Acesso em 8 de janeiro de 2016.

42 Disponível em http://g1.globo.com/Noticias/PlanetaBizarro/0,,MUL363314-6091,00-policia+italiana+caca+ladrao+hipnotista.html. Acesso em 8 de janeiro de 2016.

Perigos gerais

Existem alguns perigos gerais que rondam todos os contextos de aplicação da hipnose. O primeiro deles envolve o aumento da suscetibilidade a induções hipnóticas. Quanto mais o sujeito submeter-se a induções hipnóticas, maior será sua suscetibilidade à sugestão, mesmo que em estado de vigília. Ernest Roth comenta sobre isso em seu livro, *Hipnotismo prático*:

> *Os perigos reais do hipnotismo são: a crescente tendência à hipnose e a exaltada suscetibilidade à sugestão em estado de vigília. Pode haver possibilidade de uma nova hipnose contra a vontade do indivíduo, talvez sem que ele o suspeite, ou o perigo de que ele aceite sugestões externas, mesmo sem hipnose. O perigo que mencionamos por último pode ser evitado fazendo-se repetidamente a seguinte sugestão ao paciente, antes de despertá-lo: "Ninguém jamais será capaz de hipnotizar-vos sem vosso consentimento; ninguém será capaz de sugerir-vos qualquer coisa quando estiverdes desperto; nunca necessitais temer ilusões dos sentidos etc., como vos acontece em hipnose, sois perfeitamente capaz de impedi-las". É maneira prudente, mas não infalível, de evitar o perigo.*
>
> ROTH, 1969

Outro perigo é o aumento da subordinação indevida ao hipnotizador. Após se sujeitar várias vezes ao transe com o mesmo profissional, o sujeito se torna cada vez mais suscetível ao transe quando em contato com a voz deste hipnotista. Se o hipnotista for parte do convívio diário do paciente (por exemplo, um amigo), essa subordinação excessiva pode trazer algum tipo de problema.

A boa notícia é que todos esses perigos podem ser combatidos com o uso de sugestões pós-hipnóticas que inibam o surgimento de tais riscos.

Hipnose de palco

O principal perigo existente na prática da hipnose de palco são os acidentes físicos que podem eventualmente acontecer em uma apresentação. Mesmo que, na maior parte das vezes, tais acidentes sejam leves, não podemos descartar a possibilidade de outros mais graves acontecerem.

Em julho de 1988, na Escócia, uma jovem de 25 anos chamada Ann Hazard foi convidada a subir ao palco e participar de uma demonstração de hipnose. Na ocasião, o hipnotista Robert Halphern colocou-a em transe hipnótico profundo e sugestionou que ela precisaria ir imediatamente ao banheiro para satisfazer necessidades fisiológicas. Logo após ouvir a sugestão, Ann saiu correndo em direção ao banheiro e, devido à sua ansiedade, pulou do palco e quebrou a bacia.

Casos como os de Ann são documentados em todo o mundo desde a década de 1950. No entanto, nenhum dos relatos tem coisa alguma a ver com o elemento hipnotizante do *show*. Esses acidentes acontecem principalmente devido à negligência dos responsáveis com a segurança do local e até mesmo por irresponsabilidade do hipnotista. Proibir a hipnose de palco por causa desses casos seria o mesmo que proibir a existência de parques de diversão porque ocorreram acidentes específicos em alguns deles.

Apesar da polêmica envolvendo espetáculos de hipnose não ser nova, em 1993, a oposição a esse tipo de entretenimento ganhou força. Nesse ano, Sharron Tarbarn, uma jovem de 24 anos, se voluntariou a participar de um espetáculo de hipnose e, cinco horas após o evento, morreu de um ataque epilético. A morte foi registrada pelo médico-legista como decorrente de causas naturais. Apesar de não existir evidências realmente significativas de correlação entre a morte da garota e sua participação no espetáculo, o debate sobre os perigos da hipnose de palco veio à tona. Segundo alguns "especialistas", foi sugerido à jovem a ilusão de que ela havia tomado um enorme choque elétrico, e isso poderia ter desencadeado uma fobia à eletricidade, resultando no ataque epiléptico mais tarde naquela noite. Baseando-se nisso, a família da garota decidiu levar o caso ao tribunal. Na época, o hipnotista foi absolvido por um motivo simples: não era possível atestar uma causalidade direta entre os eventos.

Além dos problemas citados anteriormente, surgem questões éticas relativas à prática do hipnotismo. Esses problemas estão não somente relacionados à imagem do participante, mas também à exposição a sentimentos e sensações desagradáveis.

Em 2007, Derren Brown realizou, em seu programa de TV, uma demonstração de hipnose muito controversa. Na ocasião, Julie Simm, de 29 anos, iria se submeter a uma sessão de hipnose com o objetivo de sugestioná-la a usar mais frequentemente o cinto de segurança – um hábito que ela não possuía. Nada demais até aí – é comum o uso de hipnose em contextos clínicos para substituição de hábitos negativos por outros melhores. No entanto, Derren decidiu realizar uma intervenção diferente. Após colocá-la em transe, ele levou Julie para um cenário extremamente real de um acidente de carro. Enquanto ela andava pelos destroços, homens da ambulância removiam um corpo do carro. Em seguida, ela se dirigiu à maca e viu o rosto da vítima: ela mesma. Ao testemunhar sua suposta morte, Julie, então, entrou em estado de choque.

Certamente, esse tipo de apresentação faz muito sucesso na TV. No entanto, ela envolve questões éticas importantíssimas: Derren teria o direito de provocar tanta angústia em Julie? Além disso, não é possível prever quais danos psicológicos poderiam ser infligidos futuramente à moça.

Shutterstock

Derren Brown faz uma garota acreditar que morreu em um acidente de carro.

As críticas mais duras realizadas contra a hipnose costumam se dirigir aos espetáculos de hipnose de palco. No entanto, tomando-se as devidas precauções e tendo um mínimo de bom senso, a hipnose de palco pode ser uma maneira saudável de se divertir com o uso da própria imaginação. Essas apresentações são realizadas em meio a várias pessoas, impedindo maiores problemas como a criação de memórias falsas, transtornos psicológicos ou manipulação.

Hipnoterapia

Os perigos envolvendo a prática da hipnose clínica são bem maiores do que aqueles envolvendo os espetáculos de entretenimento.

Psicoterapia não é apenas um bate-papo entre o terapeuta e o paciente. Na verdade, trata-se de uma ferramenta muito poderosa, e até mesmo perigosa, se utilizada por pessoas pouco qualificadas. Não são raros os casos envolvendo traumas decorrentes de terapia realizada por profissionais sem credenciamento ou formação acadêmica adequada. Veja os principais perigos no uso inadequado da hipnoterapia e previna-se:

- **Quando um sintoma é removido por uma sugestão direta.** Suponha que você tenha uma dor nas costas causada por um grave problema ortopédico. É possível utilizar a hipnose para se livrar da dor. No entanto, a hipnose não cura a causa das dores. Nesse caso, a hipnose vai apenas mascarar seus problemas e, possivelmente, piorar o seu quadro clínico.
- **Criação de memórias falsas.** Não são poucos os casos de psicoterapeutas que implantaram memórias falsas na consciência de seus clientes. Ainda que o surgimento de memórias falsas não seja exclusividade da hipnoterapia, os riscos existem e devem ser evitados.
- **Despertar de traumas.** Uma das técnicas utilizadas em hipnoterapia se chama "regressão de idade". Nela, o cliente faz uma regressão consciente para sua infância com o objetivo de reviver situações que possivelmente criaram traumas psicológicos. Ainda que seja uma técnica poderosa, deve ser utilizada de maneira responsável. O primeiro risco é flagrante: a implantação de memórias falsas durante essa prática. Além desse, outro risco é despertar traumas adormecidos. Existem relatos de pacientes que, após entrar em transe hipnótico, reviveram espontaneamente uma experiência anterior de abuso sexual e tiveram severa dificuldade em lidar com isso.

Memórias falsas

Em 1986, Nadean Cool, uma ajudante de enfermagem em Wisconsin, procurou ajuda terapêutica de um psiquiatra para auxiliá-la a superar um evento traumático. Durante a terapia, o psiquiatra usou hipnose e outras técnicas sugestivas para trazer à tona recordações de um abuso que Cool supostamente teria experimentado. No processo, ela foi convencida de que tinha memórias reprimidas de ter estado em um culto satânico, comido bebês, sido estuprada, feito sexo com animais e ter sido forçada a assistir ao assassinato da sua amiga de 8 anos. Ela chegou a acreditar que teve mais de 120 personalidades – crianças, adultos, anjos e até mesmo um pato –, tudo isso porque lhe foi dito que ela havia passado por um severo abuso sexual e físico na infância. O psiquiatra também executou exorcismos nela, um dos quais durou cinco horas, e incluiu o uso de água-benta e gritos para que Satanás deixasse o seu corpo.

Quando Cool percebeu finalmente que aquelas falsas recordações foram implantadas, processou o psiquiatra por negligência profissional. Depois de cinco semanas de julgamento, o caso dela foi resolvido fora do tribunal por 2,4 milhões de dólares, em março de 1997. Nadean Cool não foi a única paciente a desenvolver falsas recordações como resultado de uma terapia questionável. Em 1992, no Missouri, um conselheiro de igreja ajudou Beth Rutherford a se lembrar, durante terapia, que o seu pai, um clérigo, havia estuprado-a regularmente dos 7 aos 14 anos, e que sua mãe às vezes o ajudava, segurando-a. Sob a direção do terapeuta, Rutherford desenvolveu recordações de seu pai engravidando-a duas vezes e forçando-a a abortar o feto ela mesma com um cabide. O pai teve que retirar-se do posto de clérigo quando as alegações se tornaram públicas. Mais tarde, um exame médico em Rutherford revelou, porém, que ela ainda era virgem aos 22 anos e nunca tinha estado grávida. A filha processou o terapeuta e recebeu 1 milhão de dólares de indenização, em 1996.[43]

Ab-reações

Uma ab-reação é uma reação emocional ou física causada pelo reviver de pensamentos e sentimentos associados a memórias de um evento traumático. Essas reações são mais frequentemente associadas a terapias de regressão de idade. Os sintomas (soluços, choro intenso, agitação etc.) são semelhantes a um ataque de pânico em terapia.

Em caso do surgimento de uma ab-reação, não se deve tocar o sujeito. Além disso, é importante não mostrar pânico em seu tom de voz, mantendo ao máximo a calma. O comando mais simples para lidar com ab-reações é dizer: "A cena se esvai, enquanto você se concentra em sua respiração". Aos poucos, o sujeito deve se acalmar e voltar ao normal.

Existem técnicas de terapia baseadas na vivência de ab-reações. No entanto, se não houver treinamento adequado por parte do hipnotista, é melhor não explorar essas experiências emocionais.

De forma geral, esses são os maiores riscos existentes na prática de hipnose – seja em palco ou em terapia. É importante ressaltar que meu objetivo não é desestimular seu uso, mas indicar a importância de se procurar um profissional adequado.

43 Download do documento disponível em: https://webfiles.uci.edu/eloftus/Loftus_SciAm_PortugueseTrans_97.doc. Acesso em 8 de janeiro de 2016.

3 . Linguagem hipnótica

"Bem dormido, bem dormido."
Fábio Puentes, o hipnólogo mais conhecido na América Latina

Erickson e o cavalo

No início do século XX, na zona rural de Wisconsin, quando Erickson ainda era criança, ele e alguns amigos se depararam com um cavalo que tinha se perdido de seu cavaleiro. Nenhum deles reconhecia o cavalo ou sabia a quem pertencia. Depois de pegar o cavalo e acalmá-lo, o jovem Erickson declarou que iria levá-lo de volta a seu dono. "Como você vai fazer isso?", perguntaram seus amigos. "Você nem sabe de quem é esse cavalo."

Apesar da desconfiança de seus colegas, Erickson subiu no cavalo e começou a conduzi-lo pela estrada. Após andar algumas milhas, o cavalo desviou em uma fazenda. Essa era a fazenda em que o cavalo morava. Quando Erickson e o cavalo chegaram até o dono da fazenda, ele agradeceu Erickson, mas perguntou como ele sabia o caminho até a fazenda, já que eles nem ao menos se conheciam. Erickson respondeu: "Eu não sabia para onde o cavalo deveria ir, mas ele foi. Eu apenas precisei mantê-lo na estrada, em movimento".

Essa história ilustra muito bem a hipnose. Aquele que assiste ao fenômeno hipnótico sempre terá a impressão de que o verdadeiro responsável pelo processo é o hipnotista. No entanto, como você verá a seguir, o hipnotista é mero condutor do processo. Ao observarmos alguém esquecendo-se do seu próprio nome ou vivenciando a experiência de ter as mãos coladas, podemos pensar que são pessoas de mente fraca e sugestionáveis. Entretanto, essas pessoas não estão sendo manipuladas. Elas simplesmente estão tendo uma experiência mágica, mesmo acordadas. Ser hipnotizado é provavelmente a experiência mais próxima de vivenciar um mundo mágico como os de *O Senhor dos Anéis* ou *Harry Potter*. E você pode proporcionar isso às pessoas.

Este capítulo apresenta algumas "sugestões em estado de vigília",[44] como são normalmente chamadas na hipnose clássica. Elas costumam dividir-se em dois tipos: pseudo-hipnose e sugestões não hipnóticas. Pseudo-hipnose se refere

44 A bibliografia inglesa e a norte-americana costumam chamá-las de "waking suggestions".

a fenômenos que, apesar de parecerem hipnose, são meras reações automáticas de nosso corpo. Por outro lado, as sugestões não hipnóticas são as que ocorrem sem a necessidade de induzir o transe hipnótico.

Geralmente, utiliza-se a pseudo-hipnose com o objetivo de tornar os sujeitos mais receptíveis à hipnose, visto que seus resultados são bastante impressionantes e não dependem tanto da hipnotizabilidade de cada um. Já as sugestões não hipnóticas dependem do nível de hipnotizabilidade dos sujeitos, e são rotinas ideais para serem utilizadas em espetáculos de hipnose de palco e identificar os indivíduos mais suscetíveis ao transe.

James Tripp[45] define a rotina hipnótica como um ciclo.

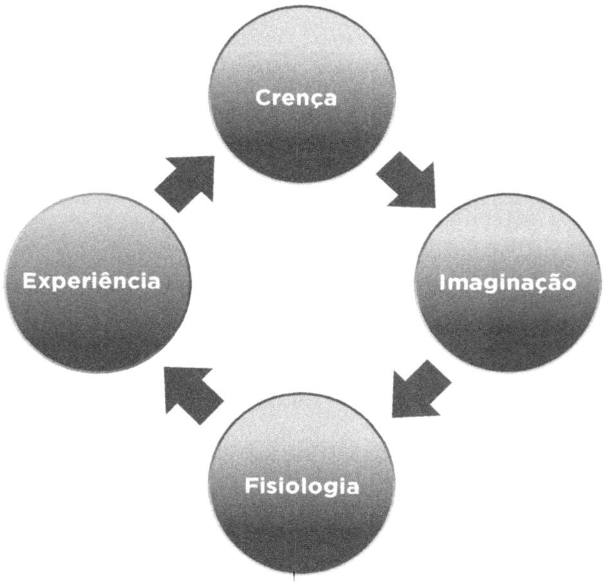

A pseudo-hipnose provoca uma experiência baseada em uma reação fisiológica automática. No entanto, o hipnotista dá ao sujeito a impressão de que essa reação não foi automática, mas fruto da sugestão. Após estabelecer no sujeito essa crença, ele fica mais suscetível às novas sugestões, que provocam novas reações fisiológicas e mantêm o ciclo. Ao garanti-lo, é possível provocar

45 Disponível em https://www.youtube.com/JamesTrippTV. Acesso em 8 de janeiro de 2016.

até mesmo alucinações, sem a necessidade de se induzir o sujeito ao transe hipnótico profundo.

Para que esse ciclo ocorra, é essencial que a comunicação entre o hipnotista e o sujeito seja eficaz. No entanto, ao comunicar-se verbalmente, há muito mais envolvido do que apenas as palavras. O tom de voz, a modulação do timbre e até mesmo a linguagem corporal são partes essenciais do processo. A seguir, teremos alguns roteiros de pseudo-hipnose e de sugestões não hipnóticas. Ainda que seja inviável transmitir plenamente todos esses elementos em um texto escrito, vamos utilizar alguns recursos para facilitar o entendimento de todas as variáveis.

Salvo alguma indicação contrária, as sugestões devem ser feitas em um tom de conversa normal e de maneira séria. Aliás, esse é o principal motivo pelo qual é um pouco mais difícil hipnotizar familiares: às vezes, o excesso de intimidade acaba por estragar esse elemento do discurso. O aumento crescente da ênfase nas palavras será identificado pelo uso de *itálico,* **negrito,** e, finalmente, o uso de caixa alta.[46]

Suponhamos agora que você está realizando algum exercício de pseudo-hipnose que envolva a impossibilidade de abrir os olhos. Nesse caso, poderíamos escrever:

> Quanto mais você tentar abrir seus olhos, mais grudados eles vão ficar.
> Mais grudados.
> Mais grudados.
> **TOTALMENTE GRUDADOS**

Ao se deparar com alguma palavra em que todas as letras estão separadas por hífens, será necessário que você module sua voz, falando de forma mais lenta. Veja o exemplo abaixo:

> Permita que estes músculos se tornem mais e mais C-A-L-M-O-S e R-E-L-A-X-A-D-O-S.

Além disso, o uso de reticências indica sempre uma ligeira pausa de cerca de um segundo. Pausas mais longas terão reticências adicionais. Por exemplo: "... ..." indica uma pausa um pouco mais longa, de cerca de dois segundos.

46 Essa notação foi criada pelo pesquisador e hipnólogo André Muller Weitzenhoffer, em seu livro *The practice of hypnotism.*

Finalmente, dentro de colchetes, indicaremos ações a serem utilizadas pelo hipnotista. Dessa maneira, não devem ser ditas, apenas seguidas.

Contudo, antes de avançarmos, algumas informações importantes devem ser consideradas:

Algumas pessoas sofrem de transtornos de ansiedade desencadeados por provas ou testes. Nesses casos, basta ouvir as palavras "teste" ou "prova" para que elas tenham uma crise da ansiedade, geralmente caracterizada pela sudorese excessiva e aumento dos batimentos cardíacos, entre outros sinais. Dessa maneira, o ideal é que você evite utilizar esse tipo de termo com os sujeitos.

Além disso, os termos "teste de suscetibilidade" ou "teste de sugestionabilidade" podem evocar pensamentos indesejados, já que as palavras "suscetibilidade" e "sugestionabilidade" costumam ser associadas pelo público a "credulidade", "ingenuidade" ou até mesmo "ignorância". Sugiro que comece a apresentação dessa maneira:

> Eu suponho que vocês estejam aqui porque estão interessados em ter uma experiência nova. A melhor maneira de vocês conseguirem isso é simplesmente prestando muita atenção ao que vou dizer e seguir as instruções, sem qualquer julgamento prévio. Deixe as coisas acontecerem ou não, naturalmente. Podem vir algumas sensações que vocês não esperam. Não se preocupem com isso: apenas deixem as coisas acontecerem. Lembrem-se: vocês terão a oportunidade de descobrir os poderes da sua imaginação. Vocês serão os verdadeiros responsáveis pelo processo.

Essa última frase é muito importante por alguns fatores. O primeiro é o fato de que ela transmite certa sensação de controle ao sujeito a ser hipnotizado, já que deixa bem claro que a imaginação será a grande responsável por qualquer experiência que possa acontecer. Ao dizer isso, transferimos a esse sujeito a responsabilidade de a experiência dar certo. Assim, caso dê algo errado, você não será responsabilizado (ainda que, muitas vezes, você seja o "culpado" por algum fracasso desse tipo).

Princípios importantes

Este livro contém várias rotinas extremamente detalhadas. No entanto, o ideal é que você aja com naturalidade ao realizá-las. A seguir, veja alguns conceitos essenciais, que podem ser introduzidos a qualquer momento em suas rotinas, para potencializá-las.

Sim! Sim! Sim!

Em hipnose, é importante que o sujeito tenha engajamento e conformidade em relação aos comandos que serão dirigidos a ele. Uma das formas de se conseguir isso é por meio de algo conhecido como o *yes set*. Em português, seria algo como "contexto do sim".

O princípio por trás do *yes set* é bem simples. Você faz perguntas óbvias cuja resposta certamente será um "sim". Ou, então, pode simplesmente dar pequenos comandos. Ao obedecê-los, a pessoa está automaticamente dizendo um "sim" a eles. O ideal é que, antes de qualquer teste de suscetibilidade, o sujeito já tenha dito "sim" ou obedecido a algum de seus comandos no mínimo quatro vezes.

Esse é o motivo pelo qual os hipnotistas geralmente iniciam a hipnose pedindo para os sujeitos deixarem os pés juntos no chão (primeiro sim), juntarem as mãos (segundo sim), esticarem os braços (terceiro sim) e assim por diante. Quando estou hipnotizando alguém, frequentemente peço para o sujeito mudar de lugar: "Venha para cá". Esse costuma ser o primeiro dos meus "sim".

A seguir, você aprenderá sobre os truísmos. Eles possuem o mesmo objetivo do *yes set*.

Acompanhar e conduzir

"Acompanhar" refere-se ao *feedback* que o hipnotista dá ao sujeito durante o processo hipnótico. Esse *feedback* baseia-se na enumeração de sensações, comportamentos ou até mesmo pensamentos reais do sujeito. Segundo Milton Erickson, é uma comunicação baseada em truísmos. Veja a definição dessa palavra de acordo com o dicionário *Michaelis*.

truísmo

s.m. (*ingl. truism*) **1** Verdade evidente, que está a entrar pelos olhos de toda a gente. **2** Evidência, verdade banal, trivialidade.[47]

No nosso caso, truísmo é a forma mais simples de sugestão: são verdades inquestionáveis sugeridas ao sujeito. Geralmente, baseiam-se na descrição de fatos relacionados ao comportamento do paciente e são essenciais para a manutenção do ciclo hipnótico.

"Conduzir" refere-se a sensações, comportamentos ou até mesmo pensamentos que o hipnotista deseja induzir ao sujeito a ser hipnotizado.

A hipnose baseia-se nesses dois processos alternados: acompanhar e conduzir. Vamos a um exemplo que permita uma melhor identificação de cada um desses processos. Imagine que você deseja que alguém tenha uma vontade irresistível de se coçar. Nesse caso, você não pode simplesmente dizer: "Você está com uma vontade irresistível de se coçar". Antes de tentar *conduzir*, é preciso que você faça referência a alguns truísmos. Após *acompanhar* vários desses truísmos, você finalmente procura *conduzir*. Observe uma maneira possível de se conseguir *acompanhar* e *conduzir*:

> Você está sentado confortavelmente em sua cadeira enquanto lê esse livro. Enquanto continua lendo essas palavras, você vai sentindo surgir uma vontade irresistível de se coçar. Quanto mais você tenta não pensar sobre isso, mais você sente essa vontade crescer.

Nesse exemplo, a ação desejada (coçar-se) está associada a diversos outros comportamentos que já estão acontecendo naturalmente: você realmente está sentado, lendo e tentando não se coçar. Dessa maneira, após acompanhar todas essas sensações reais, fica muito mais fácil conduzir o sujeito às novas sensações desejadas.

Respiração

A respiração é uma ferramenta essencial para a indução e aprofundamento do transe hipnótico. Sua importância se dá por três motivos. Os dois primeiros você provavelmente já percebeu. Ao pedir para o sujeito inspirar

47 Disponível em http://michaelis.uol.com.br/moderno/portugues/index.php?lingua=portugues-portugues&palavra=tru%EDsmo. Acesso em 8 de janeiro de 2016.

profundamente e, em seguida, expirar, você já está induzindo o *yes set* e o "acompanhar e conduzir".

No entanto, a respiração tem um terceiro componente importante: quando o sujeito inspira profundamente algumas vezes seguidas, ele aumenta a quantidade de oxigênio em seu sistema, elevando sua suscetibilidade ao transe hipnótico. Além disso, a concentração na própria respiração relaxa os músculos do corpo, favorecendo a indução ao transe.

Existem algumas técnicas de indução que são baseadas em hiperventilação (aumento do ar nos pulmões, por aumento da frequência da respiração ou pelo aumento da profundidade da inspiração). No entanto, tais induções só podem ser realizadas por profissionais capacitados, já que existem várias contraindicações médicas. Ao mencionar o uso da respiração como mecanismo para indução e aprofundamento do transe, não estou fazendo qualquer referência à hiperventilação. Veja logo abaixo uma forma de se utilizar da respiração do sujeito como meio de favorecer a indução hipnótica.

> Concentre-se em sua respiração e permita que seu corpo relaxe... Você pode respirar mais profundamente agora... Isso... Muito bem... Essas respirações o tornam mais calmo e permitem que você relaxe todos os músculos do seu peito, e... a cada respiração... esse relaxamento vai se espalhando para outras partes do seu corpo...

Se você estiver hipnotizando algum sujeito individualmente, lembre-se de acompanhar e conduzir de maneira adequada.

Feedback

A hipnose é o processo de aprender a entrar em transe. Obter um *feedback* positivo é vital em qualquer processo de aprendizagem. Lembre-se, você é o hipnotista. Dessa maneira, você é o especialista. Em contrapartida, o sujeito geralmente sabe muito pouco sobre o que está acontecendo. Muitas pessoas podem acabar interrompendo a própria experiência de transe simplesmente por pensar que "não estão agindo corretamente". Erickson levou quase trinta anos para perceber que ele poderia induzir o transe simplesmente dizendo: "Isso mesmo!", na hora certa. Além disso, a psicologia social indica que elogios tendem a aumentar o *rapport* com o sujeito, além de elevar sua conformidade em relação a quem o elogia.

Ancoragem

Ainda que o termo “ancoragem” seja relativamente recente, a ideia por trás dele, o condicionamento clássico, é bem antiga. Com o objetivo de investigar o processo digestivo em cães, o fisiologista Ivan Pavlov (1849-1936) desenvolveu um procedimento que lhe permitia estudar os processos digestivos de animais por longos períodos de tempo. Esse método consistia no uso de uma mangueira, inserida diretamente nas glândulas salivares do animal. Toda vez que a saliva era produzida, ela era imediatamente captada, para ser posteriormente estudada.

Quando a comida era apresentada aos cães, eles instintivamente salivavam. No entanto, com o passar do tempo, Pavlov descobriu algo muito interessante: ainda que na ausência de comida, os cães passaram a salivar só de ver o técnico que normalmente os alimentava. Isso motivou Pavlov a realizar outro experimento envolvendo seus cães. Inicialmente, ele disparou uma sirene e observou que esse barulho não fazia seus cães salivarem. Em seguida, passou a disparar essa mesma sirene pouco antes de alimentá-los. Com o passar do tempo, os cães passaram a salivar apenas ao ouvir o disparar da sirene, ainda que estivessem sob privação da comida.

Pavlov chamou a comida de “estímulo incondicionado”, e a salivação decorrente da presença da comida de “resposta incondicionada”, visto que já aconteciam naturalmente em todos os cães. Instintivamente, os cachorros já salivavam ao ver a comida. Em determinado momento, apenas o disparar da sirene já era suficiente para os cães salivarem. Nesse caso, Pavlov chamou a sirene de “estímulo condicionado” e a salivação tornou-se a “resposta condicionada”.

Ancoragem é um conceito que amplia a noção de condicionamento clássico para além das nossas reações fisiológicas. Ou seja, âncoras são estímulos condicionados que fazem com que as pessoas tenham as mais diversas respostas condicionadas: comportamentos, emoções ou até mesmo pensamentos. Algumas ancoragens são compartilhadas culturalmente, como o aperto de mão. Ao vermos uma mão estendida a nós, temos um comportamento condicionado: apertamos a mão do sujeito.

Âncoras podem ser colocadas por meio do toque, som de voz, estalar de dedos, movimentos das mãos, odores, gostos, posturas corporais, localização da voz, ambiente físico ou outros estímulos. Por exemplo, suponha que você esteja com saudades de seu(sua) namorado(a). Nesse caso, várias âncoras foram colocadas, já que você se lembrará dele(a) ao sentir algum perfume, ao ver uma foto, entre vários outros estímulos condicionados.

Além disso, um único estímulo pode ancorar várias respostas diferentes. Por exemplo, suponha que você morra de medo do seu chefe. Nesse caso, o simples fato de você avistar seu chefe entrando em sua sala pode levá-lo a várias respostas condicionadas diferentes: emoções, pensamentos ou comportamentos diversos.

A ancoragem é um processo natural e que acontece o tempo todo. No entanto, podemos induzi-la propositalmente. Vamos supor que você deseja criar uma ancoragem para potencializar a rotina de esquecimento do próprio nome. Nesse caso, basta estalar os dedos toda vez que você falar "esquece", "o nome some" ou "sumiu". Após a ancoragem, bastará que você estale os dedos toda vez que quiser potencializar alguma sugestão que envolva esquecimento. Âncoras também são essenciais em hipnoterapia. Imagine que o sujeito tenha crises de ansiedade. Nesse caso, o terapeuta pode criar uma ancoragem envolvendo um estado de serenidade. Dessa maneira, quando o sujeito tiver alguma crise, bastará a execução da âncora para alcançar o estado almejado.

Existem algumas regras para uma ancoragem eficaz:

a) Permita que o sujeito vivencie o estado desejado da forma mais intensa possível. Provavelmente, isso será obtido por meio de algum comando verbal específico.

b) Insira o estímulo (âncora) no exato momento em que o sujeito tiver a experiência em seu grau mais intenso. É importante que os dois aconteçam da maneira mais simultânea possível. Observe atentamente as reações fisiológicas do sujeito para identificar se ele de fato está vivenciando as sensações a serem ancoradas. Por exemplo, suponha que o sujeito esteja extremamente relaxado. Nesse caso, você poderá observar esse relaxamento pelo tônus dos músculos da face e a respiração. No momento em que ele começa a acessar a experiência desejada, é conveniente colocar a âncora de forma mais leve. Conforme a experiência for se intensificando, a âncora pode ir se intensificando também. Se você ancorar um toque no ombro com o aprofundamento do transe, esse toque pode começar mais leve e, conforme o sujeito for aprofundando, tornar-se um pouco mais forte.

c) Certifique-se de que o estímulo possa ser repetido sempre da mesma forma.

d) Faça alguns testes para ver se a ancoragem foi feita corretamente. Se a âncora for um estalar de dedos seguidos de "durma" para o sujeito entrar em transe imediatamente, faça alguns testes com o sujeito quando este estiver desperto. Estale os dedos, diga "durma" e observe se a ancoragem foi realizada adequadamente.

Uma âncora muito utilizada durante a terapia é a existência de uma "cadeira da hipnose" no seu consultório. Ou seja, uma cadeira usada especialmente para os pacientes entrarem em transe. Geralmente, essa cadeira é bem distinta das que vemos no nosso dia a dia: é uma poltrona espaçosa, confortável e acolchoada. Ao verem a cadeira, os pacientes já criam a expectativa de entrar em transe. A cada vez que virem a cadeira, essa ancoragem vai se intensificar.

Assinta com a cabeça

Sempre que quiser que o sujeito confirme alguma experiência, peça para ele assentir com a cabeça, como se dissesse "sim" silenciosamente. Por exemplo, você pode dizer: "Em determinado momento, vou tocar seu ombro direito e você entrará em um transe dez vezes mais profundo. Assinta com a cabeça se tiver entendido".

Ao fazer isso, o sujeito necessariamente aumenta sua conformidade em relação aos comandos do hipnotista. Lembre-se: a cada comando que ele obedecer, maior será sua conformidade.

Além disso, é muito comum que alguns sujeitos tenham dificuldade de falar durante o transe, problema resolvido pela comunicação gestual (assentir com a cabeça).

Confusão mental

O psicólogo George Miller (1920-2012) foi um dos fundadores do campo da psicologia cognitiva. Ele também contribuiu para o nascimento da psicolinguística e da ciência cognitiva em geral. Foi o autor de um artigo científico que influenciou profundamente não apenas a psicologia, mas até mesmo a cultura geral. Esse artigo se chama "O número mágico sete, mais ou menos dois". Empiricamente, ele descobriu que a memória de curto prazo do ser humano conseguia, em média, armazenar no máximo sete novas informações simultaneamente.

O hipnotista pode tirar proveito dessa propriedade de nossa memória para induzir ao transe. Para isso, basta envolver o sujeito em tarefas que causem uma sobrecarga na quantidade de informação que ele consegue operar conscientemente. Essa sobrecarga da consciência do sujeito acaba tornando-o mais suscetível ao transe.

Independentemente da rotina que você esteja utilizando para induzir ao transe, a confusão mental sempre pode ser utilizada para potencializá-lo. Ainda que essa sobrecarga de informações possa ser feita de inúmeras formas, identifico a seguir as formas mais utilizadas.

Contagens regressivas

É comum o hipnotista usar contagens regressivas para confundir os sujeitos, envolvendo números razoavelmente grandes. Ele pode, por exemplo, pedir que seja realizada uma contagem de trás para frente, de 1000 até 1, enquanto realiza a sua indução favorita. Geralmente, quanto mais difícil a contagem, mais facilmente o sujeito entrará em transe.

No entanto, é preciso bom senso na criação dessas contagens regressivas. Se elas foram difíceis demais, o sujeito pode simplesmente desistir de fazê-las, impedindo a confusão mental de acontecer.

Sinestesia e "*double* indução"

Outra maneira de criar confusão mental é envolvendo o sujeito em sugestões que utilizam muitos dos seus sentidos simultaneamente (sinestesia) e de forma confusa.

Alternativamente, pode-se também criar uma sobrecarga por ter duas pessoas comunicando mensagens diferentes em cada ouvido da pessoa. Esse método é chamado de "*double* indução".

Como aprender as rotinas

Passo 1: Procure pessoas para se submeter ao processo – O ideal é ter uma ou mais pessoas disponíveis para se submeter ao processo de hipnose. Dessa maneira, seus amigos mais próximos e familiares acabam sendo os primeiros a lhe ajudar, mas tome cuidado: o excesso de intimidade pode atrapalhar. O motivo é simples: para as pessoas muito próximas, você não é "o hipnotista". Para elas, você sempre será o pai, a mãe, o amigo do futebol, o colega de trabalho... Ainda que essa dificuldade não seja decisiva para o funcionamento do processo, será um obstáculo inicial. Uma boa sugestão é participar de grupos de estudo presenciais de hipnose. Nesses grupos, todos estão aprendendo e serão ótimas "cobaias" uns para os outros.

Passo 2: Prepare-se com antecedência – Alguns números de hipnose requerem o uso de algum objeto específico. Lembre-se de prepará-los com antecedência. Isso se refere, inclusive, à mobília; às vezes, você não terá uma cadeira ou sofá à sua disposição e precisará se preparar em relação a isso. Estar preparado é uma ótima maneira de não correr o risco de quebrar o *rapport* à toa.

Passo 3: Aprenda as partes principais do roteiro – Vá até o *script* e procure memorizar as principais partes do roteiro. Evite memorizá-lo na íntegra, palavra por palavra. Ainda que não exista nada de essencialmente errado em sua memorização *ipsis literis*, não há nada menos eficaz do que uma sugestão recitada de forma mecânica. Portanto, ainda que você memorize o texto na íntegra, procure falar com naturalidade, como se cada ideia do roteiro estivesse surgindo na sua mente naquele exato momento. Uma boa estratégia para memorizar as partes principais do roteiro é o uso de cartões com as palavras-chave.

Passo 4: Crie um ritual – Em hipnose, sua autoconfiança e postura fazem toda a diferença. Durante a execução dos testes de suscetibilidade ou induções hipnóticas, é importante que você mantenha a sua postura de hipnotista e dê seriedade à execução de cada rotina.

Em uma pesquisa,[48] observou-se que o simples fato de nomear-se uma indução como "hipnose" ou "relaxamento", fazia muita diferença na susceptibilidade dos sujeitos. Assim, valorize seu ritual e coloque-se como uma grande autoridade no tema: isso garante a crescente vulnerabilidade do seu público.

---

48 GANDHI, B; OAKLEY, D. A. Does "hypnosis" by any other name smell as sweet? The efficacy of "hypnotic" inductions depends on the label "hypnosis". *Consciouness & Cognition*, n. 2, v. 14, jun. 2005, p. 304-315.

Passo 5: Mostre como se faz – Alguns testes de suscetibilidade requerem que os sujeitos façam algum movimento específico. Se for o caso, mostre como se faz. Algumas pessoas não respondem muito bem às sugestões verbais, mas podem responder bem à imitação.

Passo 6: Ensaie de várias formas diferentes – Algumas pessoas serão bastante suscetíveis a todos os exercícios apresentados. Outras serão bem menos participativas. É importante que você ensaie algumas vezes com cada tipo de sujeito: desde os menos receptivos até os mais hipnotizáveis. Essa é a melhor maneira de antecipar possíveis imprevistos.

Linguagem hipnótica

A linguagem verbal é a principal ferramenta do hipnotista. Dessa maneira, é importante que seus comandos hipnóticos e sugestões sejam feitos com clareza e confiança.

Você já falou com alguém cuja voz era tão relaxante que parecia ter um efeito hipnótico sobre você, a tal ponto de você não se importar com o que ela dissesse, mas apenas gostava de ouvi-la falando?

Algumas pessoas têm uma tonalidade de voz naturalmente hipnótica. Muitas vezes, essas pessoas acabam tornando-se líderes em seus campos de atuação: executivos, líderes religiosos, políticos...

No entanto, a maioria de nós não possui uma tonalidade de voz naturalmente hipnótica. Se esse for seu caso, não se preocupe, porque a tonalidade hipnótica pode ser aprendida com a prática.

Desde a infância, aprendemos, ainda que de forma inconsciente, a relação que os diferentes tons de voz possuem com as mais diferentes emoções. Quando nossos pais nos chamavam de longe, bastava um pouco mais de assertividade no tom para sabermos que logo viria alguma punição. Por outro lado, quando nos chamavam com tons de voz mais brandos, subentendíamos algum carinho.

Todos esses diferentes tipos de tonalidade estão associados a diferentes estados emocionais dentro de nosso subconsciente; o tom que alguém usa para se comunicar com outra pessoa pode desencadear mais reações emocionais do que as palavras propriamente ditas. A tonalidade de voz é essencial não apenas para estabelecer o *rapport* corretamente, mas também para a indução e aprofundamento hipnótico.

Existem basicamente dois estilos de sugestões hipnóticas: diretas e indiretas. As sugestões diretas costumam ter um caráter mais imperativo, sendo também conhecidas como "sugestões de caráter paternal". Essas são as sugestões mais utilizadas em hipnose de palco e na hipnoterapia clássica. Por outro lado, as sugestões indiretas são geralmente permissivas e são também chamadas de "sugestões de caráter maternal". Essas são as sugestões mais utilizadas na hipnose ericksoniana.

Além disso, sugestões positivas são mais passíveis de aceitação pelo subconsciente do que sugestões negativas. "Você não gosta mais de comer doces, porque você não quer engordar" é um exemplo de uma sugestão negativa. Nesse caso, seria melhor dizer: "Você encontra uma maior satisfação após comer as quantidades corretas de alimentos, ajudando seu corpo a manter-se saudável e em seu peso ideal". As palavras negativas são geralmente ignoradas pelo subconsciente por causa do que é conhecido como a "lei do efeito inverso". Para ilustrá-la, suponha que alguém lhe dê o seguinte comando: "Não pense em um cão". Após ouvir essa declaração, pensar no cão torna-se algo automático.

Tenha confiança, jamais hesite em seus comandos. Lembre-se de transformar suas sugestões em verdades factuais. Por exemplo, suponha que você deseja que alguém morda uma cebola acreditando ser uma maçã. Nesse caso, seu comando não poderia ser "Imagine que esta cebola é uma maçã" ou "Imagine que isso é uma maçã" (após apresentar a cebola). Simplesmente diga que vai entregar a ele uma maçã e, em seguida, apresente a cebola. Se você quiser que eles acreditem que você é o ator Wagner Moura, não lhes peça para imaginar que você é ele. Simplesmente diga que você é Wagner Moura e eles acreditarão nisso. O importante é tornar a realidade factual uma realidade subjetiva, e isso só acontecerá se as crenças dos sujeitos realmente forem alteradas.

Sugestões diretas ou indiretas

Como já antecipamos, existem dois estilos de sugestões hipnóticas: diretas e indiretas. Sugestões diretas são aquelas que consistem em comandos diretos. Frequentemente, são realizadas de uma forma mais imperativa e autoritária (ainda que não seja regra). Por outro lado, sugestões indiretas não são comandos propriamente ditos. Na verdade, consistem em metáforas ou parábolas que contêm trechos que possam levar o sujeito a se identificar com alguma parte da história. São, normalmente, sugestões dadas de forma mais permissiva e maternal (novamente, isso não é uma regra).

Poderíamos perguntar como ou por que uma história poderia curar ou eliminar a dor. No livro *Hypnosis and hypnotherapy,* há um caso real de aplicação da hipnose ericksoniana, que data de mais de um século antes do nascimento de Erickson, feito por uma mãe para seu filho. Em 1794, aos 11 anos, um garoto desenvolveu um tumor que teria de ser removido cirurgicamente. Apesar de na época não existirem anestesias, sua mãe sentou-se ao seu lado durante a cirurgia e contou-lhe uma história tão interessante que o garoto não sentiu qualquer dor. Apesar de a medicina ser bem atrasada naquela época, a cirurgia foi um sucesso. Muitos anos depois, já adulto, o garoto publicou a história que sua mãe havia lhe contado. A história era "A Branca de Neve", e o garoto era Jacob Grimm, um dos irmãos Grimm, responsável pela compilação de vários contos de fadas.

Na hipnose clássica, geralmente trabalha-se com sugestões diretas. O hipnotista deve estabelecer sua autoridade para, em seguida, dar sugestões diretas. Alguns exemplos, geralmente expressões imperativas, são: "não consegue", "consegue", "a partir de agora, você irá", "a partir de agora, você não irá mais..." etc.

Na hipnose ericksoniana, as sugestões indiretas geralmente possuem expressões permissivas, como: "você pode ficar sonolento...", "talvez, você sinta...", "Você pode notar..." etc.

Roy Hunter, no livro *Art of hypnosis,* dá um ótimo exemplo comparativo entre sugestões diretas e indiretas.

Sugestões diretas

1. Enquanto você relaxa, você fica tão sonolento que só quer aproveitar esse estado. Sua mente vagueia, mas seu subconsciente ouve a minha voz.
2. Agora, faça uma inspiração profunda e, lentamente, exale o ar. Relaxe... Deixe-se ir mais e mais ao fundo... Você vai sentir uma sensação de paz profunda e hipnótica, a cada respiração.
3. Imagine balões de hélio amarrados a seu braço esquerdo. Quanto mais você imagina ver ou sentir os balões, mais leve o seu braço se torna. Quanto ao outro braço, você sente como se ele fosse tão pesado quanto o chumbo... Como se ele fosse pesado demais para tentar se levantar. E como você imagina o peso de um dos braços e a leveza do outro, você percebe uma diferença maior entre as sensações de cada um dos dois braços.
4. Feche os olhos agora e observe como eles só querem ficar fechados. Enquanto sua mente consciente vagueia, o seu subconsciente ouve e responde a cada palavra que eu digo.

Sugestões indiretas

1. Você pode ficar sonolento e relaxado. Você pode desfrutar o tanto quanto quiser desse momento... Mas você não precisa ouvir. Simplesmente deixe sua mente consciente vagar.
2. Um caminhante andando na floresta enche os pulmões com ar, notando que a natureza é serena e tranquila... Dando-lhe um sentido mais profundo de paz interior a cada passo e a cada respiração.
3. Você pode notar algo interessante acontecendo em um dos seus braços. Talvez possa sentir que um deles está mais leve, como se estivesse sendo puxado para cima por balões de hélio... Ou talvez você possa sentir que um deles está muito pesado. Eu não sei qual sensação o seu inconsciente permite que você sinta mais facilmente.
4. É cada vez menos importante para os seus olhos tentarem se manter abertos... E torna-se cada vez menos importante se você escuta ou não a minha voz conscientemente... Porque o seu subconsciente vai ouvir tudo o que digo e fará você responder.

Apesar de a hipnose clássica tradicionalmente utilizar sugestões diretas, no contexto clínico, ela também pode utilizar padrões ericksonianos de linguagem.

Padrões ericksonianos

A maneira como Erickson usava a linguagem costuma ser chamado de "o modo preciso de utilizar palavras vagas". Ao criar suas metáforas, ele costumava ser suficientemente vago para permitir que o sujeito se identificasse ao máximo com a história. Ainda que inconscientemente, Erickson se baseava no Efeito Fórer para a criação das suas histórias. Além da arte de ser vago, Erickson usava alguns outros artifícios para induzir os sujeitos ao transe.

Voz passiva

Há algum tempo, estudo técnicas para a escrita de livros de ficção. De acordo com o tipo de história (aventura, suspense, terror...), as técnicas variam bastante. No entanto, uma técnica parece não depender do tipo de história: evitar a voz passiva, pois ela é um recurso linguístico no qual se enfoca a ação e não o personagem. Veja a frase a seguir:

> "Os assaltantes roubaram o banco."

Nesse caso, ainda que a frase esteja no passado, ela orienta nossa imaginação a visualizar os assaltantes roubando um banco. A seguir, veja como a mesma frase ficaria na voz passiva:

> "O banco foi roubado pelos assaltantes."

A voz passiva tira os atores da cena. Consequentemente, diminui a obrigatoriedade de o leitor imaginar os assaltantes roubando o banco. Aliás, esse é o motivo pelo qual escritores evitam utilizar esse recurso em histórias de ação. Ao se retirar os sujeitos da ação, o leitor não é obrigado a visualizar as cenas, tornando a leitura um pouco monótona.

No entanto, é interessante usar a voz passiva na hipnose. Ao fazê-lo, o hipnotista dá ao sujeito uma margem de liberdade para seguir ou não cada um dos comandos. Aqui, a voz passiva é obtida por meio de um recurso chamado "nominalização".

Nominalização é o processo em que transformamos um verbo em um substantivo. Ao utilizarmos esse processo, além de tirarmos o ator de cena, tornamos a cena mais vaga, permitindo que o sujeito dê a ela seus próprios detalhes.

Em vez de falar "você pode relaxar", o melhor seria dizer "o relaxamento pode acontecer". Isso dá ao sujeito a liberdade de relaxar em seu próprio tempo, da sua própria maneira. A seguir, veja como a nominalização do verbo "comunicar" poderia ser utilizada em uma sugestão indireta:

"A comunicação pode ocorrer entre o consciente e o inconsciente, mas nem sempre isso acontece de forma evidente. Vários processos que fazem parte da experiência cotidiana nem sempre são acessíveis à nossa consciência, e geralmente isso é algo bom. Pensamentos ficam à deriva em nossas mentes sem que seja preciso que nos foquemos em algum deles."

Aprenda hipnose agora!

Ao longo deste capítulo, vamos mostrar algumas rotinas de hipnose. No entanto, se você quiser se aprofundar e aprender a hipnotizar qualquer pessoa em qualquer lugar, recomendo que assista a meu curso gratuito do YouTube. Para isso, basta visitar: http://www.youtube.com/supermemoria.[49]

Após chegar nesse endereço, clique no ícone *Playlists*. Lá, você encontrará uma *playlist* chamada "Curso de hipnose completo". São mais de 120 aulas gratuitas e na íntegra. Assista e domine completamente a arte da hipnose.

Se algo não ficar claro depois de assistir a esses vídeos, entre no meu grupo do Facebook, chamado "Hipnose & Psicologia". Será um prazer tirar pessoalmente todas as suas dúvidas.

O príncipe e o mago

Era uma vez um jovem príncipe que acreditava em tudo, exceto em três coisas. Não acreditava em princesas, não acreditava em ilhas e não acreditava em Deus. Seu pai, o rei, disse-lhe que tais coisas não existiam. Como não havia princesas ou ilhas nos domínios de seu pai, e nenhum sinal de Deus, o príncipe acreditou no pai.

Um dia, porém, o príncipe fugiu do palácio e dirigiu-se ao país vizinho. Lá, para seu espanto, viu ilhas por toda a costa, e nessas ilhas viu criaturas estranhas e perturbadoras, às quais não se atreveu a dar nome. Quando estava procurando um barco na beira da praia, um homem vestido de noite se aproximou.

– Estas ilhas são de verdade? – perguntou o jovem príncipe.

– Claro que são ilhas verdadeiras – disse o homem vestido de noite.

– E aquelas estranhas e perturbadoras criaturas?

– São todas autênticas e genuínas princesas.

– Então, também Deus deve existir! – bradou o príncipe.

– Eu sou Deus – replicou o homem vestido de noite, com uma reverência. O jovem príncipe retornou à casa tão depressa quanto pôde.

49 Acesso em 8 de janeiro de 2016.

– Então, estais de volta – disse seu pai, o rei.

– Vi ilhas, vi princesas, vi Deus – disse o príncipe num tom reprovador.

O rei não se abalou.

– Não existem ilhas de verdade, nem princesas de verdade, nem um Deus de verdade.

– Eu os vi!

– Diga-me como Deus estava vestido.

– Deus estava todo vestido de noite.

– As mangas de sua túnica estavam arregaçadas?

O príncipe lembrou-se que estavam. O rei sorriu.

– Isso é o uniforme de um mago. Você foi enganado.

Com isso, o príncipe retornou ao país vizinho e foi para a mesma praia, onde, mais uma vez, encontrou o homem todo vestido de noite.

– Meu pai, o rei, contou-me quem és – disse o príncipe indignado. – Tu me enganaste da última vez, mas não o farás novamente. Agora sei que estas não são ilhas de verdade, nem aquelas criaturas são princesas de verdade, porque tu és um mago.

O homem da praia sorriu.

– És tu que estás enganado, meu rapaz. No reino de teu pai existem muitas ilhas e muitas princesas. Mas tu estás sob o encanto de teu pai, logo não podes vê-las.

O príncipe, cabisbaixo, voltou para casa. Quando viu o pai, fitou-o nos olhos.

– Pai, é verdade que tu não és um rei de verdade, mas apenas um mago?

O rei sorriu e arregaçou as mangas.

– Sim, meu filho, sou apenas um mago.

– Então o homem da praia era Deus.

– O homem da outra praia era outro mago.

– Tenho de saber a verdade, a verdade além da magia.

– Não há verdade além da magia – disse o rei.

O príncipe ficou profundamente triste.

– Eu me matarei – disse ele.

O rei, pela magia, fez a morte aparecer. A morte ficou junto à porta e acenou para o príncipe. O príncipe estremeceu. Lembrou-se das ilhas belas, mas irreais, e das princesas belas, mas irreais.

– Muito bem – disse ele – eu aceito isso.

– Vê, meu filho – disse o rei –, tu, também, agora começas a ser um mago.

(Reproduzido do livro *A estrutura da magia: um livro sobre linguagem e terapia*, de Richard Bandler e John Grinder, extraído originalmente de *The Magus*, de John Fowles)

Essa metáfora foi usada por Richard Bandler e John Grinder, os fundadores da PNL, para a introdução do livro *A estrutura da magia*. Nessa obra, os autores identificam o chamado metamodelo: o alicerce teórico para compreender a estrutura da linguagem por trás do trabalho de dois terapeutas que pareciam fazer mágica na prática clínica: Fritz Perls e Virgínia Satir. Posteriormente, foram estudados os padrões de linguagem utilizados por outro mago da terapia: Milton Erickson. Devido aos incríveis resultados obtidos por esses terapeutas, eles eram chamados de verdadeiros magos da terapia.

Ainda que esse seja o contexto original dessa metáfora, em nossos estudos sobre hipnose, vou criar uma nova aplicação para essa história. A primeira correlação que estabeleço entre essa parábola e a hipnose é que, a partir de agora, o "real" é algo completamente subjetivo. Ou seja, se alguém está em transe e consegue alucinar que seu amigo é Michael Jackson, essa experiência é real – ainda que não se trate de uma realidade fática.

Existe outra relação que estabeleço entre a parábola e a hipnose: tornar-se um bom hipnotista requer muito mais do que a memorização de rotinas ou técnicas de indução ao transe. Tornar-se um hipnotista requer que você assuma o papel de um verdadeiro mago.

O maior erro daqueles que querem aprender hipnose é que eles esperam estar preparados para só então poder começar a treinar. No entanto, essa preparação ocorre apenas após já ter se exposto ao público e realizado suas primeiras experiências de hipnose.

Principalmente no início, é normal que você se sinta inseguro em relação às suas habilidades como hipnotista. Essa insegurança, entretanto, não pode transparecer: vista sua roupa de mago e vá em frente. Utilize as rotinas de pseudo-hipnose e movimento ideomotor que veremos a seguir para criar a expectativa no seu público. Depois de feito isso, basta que você assuma o papel de hipnotista e permita que a magia aconteça.

Pseudo-hipnose

Pseudo-hipnoses são rotinas que não são necessariamente hipnose. Ou seja, funcionam devido aos seus elementos fisiológicos e também devido ao movimento ideomotor. Ainda assim, elas podem gerar a expectativa necessária para que a hipnose aconteça. A seguir, você aprenderá as melhores rotinas de pseudo-hipnose.

Dedos magnéticos[50]

Essa é a minha favorita, porque é rápida, fácil e eficaz. Se você deseja um truque de pseudo-hipnose para se divertir com seus amigos em festas ou bares, essa provavelmente será uma das melhores pedidas. Já utilizei essa rotina em apresentações públicas, como um teste inicial de suscetibilidade e o resultado também foi fantástico.

Sente-se confortavelmente nessa cadeira.

[Após o sujeito assentar-se, diga:]

Isso mesmo.[51] Agora, junte suas mãos e entrelace seus dedos dessa maneira, como se você estivesse orando.
É importante que você deixe os polegares cruzados.

[Mostre seus polegares cruzados.]

[Após ele mostrar as mãos juntas e os dedos entrelaçados corretamente, diga:]

Agora, estenda os dedos indicadores e aponte-os para cima, mantendo-os afastados cerca de três centímetros um do outro.

[Mantenha seus dedos entrelaçados e estique os dedos indicadores, como se formassem um revólver.]

Não olhe diretamente para os dedos, concentre-se apenas no espaço entre eles. Foque nesse espaço e imagine que estou colocando dois ímãs bem poderosos em cada um desses[52] dedos. Sinta a força magnética desses ímãs.

---

50 Assista à videoaula dessa rotina em http://bit.ly/dedosmagneticos. Acesso em 8 de janeiro de 2016.

51 Crie o hábito de sempre cumprimentar o sujeito por obedecer aos seus comandos. É uma forma de favorecer o processo hipnótico. Obviamente, evite exageros: o sujeito pode perceber essa estratégia e atrapalhar o processo.

52 Em vez de falar "seus dedos", costume falar "esses dedos". Esse distanciamento será utilizado em muitas rotinas e tem o objetivo de distanciar o sujeito de suas próprias mãos ou pés, como se ele não tivesse total controle sobre eles, favorecendo o processo.

Esses ímãs são tão poderosos que você sente uma força irresistível atraindo seus dedos. À medida que os dedos se aproximam, você sente que essa força aumenta mais e mais.

Seus dedos vão se aproximando cada vez mais... e mais...

Eles continuam se aproximando, até que, eventualmente, podem se tocar.

Algumas considerações

Existem algumas variações dessa pseudo-hipnose. Em vez de ímãs, alguns hipnotistas sugerem a imaginação de um elástico bem forte aproximando os dedos indicadores do sujeito. Em outra variação, sugere-se a imaginação de um parafuso apertando os dedos um contra o outro, de forma que eles se aproximem. Naturalmente, você pode utilizar a sugestão que achar mais conveniente.

Ao sugerir ao sujeito que ele foque o olhar no espaço entre seus dedos, você favorece o processo hipnótico. Como você aprenderá posteriormente, a fixação do olhar é uma das técnicas para induções hipnóticas. Ou seja, ainda que essa seja uma rotina de pseudo-hipnose, ela pode ser utilizada para a indução hipnótica propriamente dita.

Essa dinâmica é baseada em um movimento automático. Na verdade, a posição inicial dos indicadores nesse exercício é muito desconfortável. Ou seja, os dedos inevitavelmente irão se aproximar, nem que seja apenas um pouco. Caso esteja realizando essa dinâmica com uma única pessoa, utilize truísmos para potencializar o exercício. No momento em que os dedos começarem a se mover, você pode dizer: "Seus dedos começam a se atrair..."

Caso o sujeito seja um pouco resistente, você também pode se utilizar dos truísmos para favorecer a sugestão. Por exemplo, caso os dedos não estejam se aproximando, pode sugerir ao sujeito uma sensação de controle: "Seus dedos começarão a mexer em breve, mas você e sua imaginação determinarão o momento exato para isso acontecer".

Existem basicamente três resultados possíveis para essa pseudo-hipnose.

1. **Os dedos se aproximam apenas um pouco.** Caso o sujeito a ser hipnotizado aproxime os dedos apenas um pouco, é um sinal de que ele, apesar de participativo, não se envolveu com sua sugestão.

2. **Os dedos se aproximam e rapidamente se unem.** Como dito anteriormente, os dedos irão se aproximar automaticamente. No entanto, se o sujeito aproximar os dedos muito rapidamente é sinal de que você conseguiu sugestioná-lo. Nesse caso, você pode aproveitar e realizar alguma indução hipnótica e o posterior aprofundamento. De acordo com a receptividade do sujeito, a pseudo-hipnose pode até se tornar hipnose de verdade.
3. **Os dedos se afastam ou permanecem completamente imóveis.** Em alguns casos, os dedos vão permanecer completamente imóveis ou até mesmo ir na direção oposta. Isso normalmente significa que o sujeito, por algum motivo, está lutando contra as suas sugestões. Se isso acontecer enquanto você está treinando com um amigo ou familiar, procure identificar os motivos que o levaram a toda essa resistência. Se acontecer durante alguma apresentação para desconhecidos, não se deixe abater. Com educação, diga que o sujeito não está se concentrando suficientemente e busque outro sujeito. Esses exercícios de pseudo-hipnose possuem um risco mínimo de não darem certo. No entanto, nada é infalível. Em hipnose, o resultado desses testes não é o mais importante. O que importa é a maneira como você reage a cada resultado possível.

Mão leve e mão pesada[53]

Você é canhoto ou destro?

[Aguarde a resposta do sujeito. Se ele for destro, a mão a ser virada para cima será a direita e a mão a ser virada para baixo, a esquerda. Caso seja canhoto, será o contrário. Essa pergunta é importante pois a mão que ficar virada para baixo terá a sugestão de que está pesada. Se for a mão "mais fraca", a rotina será potencializada.]

Estique seus braços da seguinte maneira: colocando a mão direita virada para cima e a esquerda virada para baixo.

[Nesse momento, estique seus braços com a palma direita (caso o sujeito seja destro) virada para cima e a mão esquerda voltada para baixo. Se o sujeito for canhoto, lembre-se de inverter a posição das mãos.]

53 Assista à videoaula dessa rotina em http://bit.ly/livrosbaloes. Acesso em 8 de janeiro de 2016.

Muito bem... Agora, feche seus olhos...

Imagine que eu estou amarrando uma corda em torno de seu pulso esquerdo.

[Toque levemente o pulso do braço esquerdo do sujeito e dê uma volta completa em torno do mesmo, como se estivesse amarrando um barbante em torno dele.]

Imagine que na outra extremidade dessa corda existe um balão gigante, o maior balão que você já viu, puxando seu braço para cima...

Veja o balão e sinta-o puxando sua mão esquerda...

Agora, imagine que você está segurando um balde vazio em sua outra mão...

Imagine que estou enchendo esse balde com água...

Imagine o som da água caindo e sinta o balde tornando-se ainda mais pesado...

[Toque levemente a mão direita do sujeito em direção ao chão, enquanto você diz que o balde está enchendo.]

Seu braço está se tornando mais e mais pesado... Mais pesado...

Mais pesado...

M-a-i-s p-e-s-a-d-o...

Do outro lado, o balão amarrado ao braço esquerdo está ficando cada vez mais leve...

[Toque levemente o braço esquerdo em direção ao teto, enquanto fala essa frase. Esses toques favorecem o processo de acompanhar e conduzir.]

Mais leve...

Mais leve...

M-a-i-s l-e-v-e...

Farei uma contagem de 1 a 5...

1... O balde está se tornando mais e mais pesado...

Mais pesado...

Mais pesado...

M-a-i-s p-e-s-a-d-o...

2... O balão está se tornando ainda mais leve...
Mais leve...
Mais leve...
M-a-i-s l-e-v-e...
3... O balde está se tornando mais e mais pesado...
Mais pesado...
Mais pesado...
M-a-i-s p-e-s-a-d-o...
4... E o balão está se tornando ainda mais leve...
Mais leve...
Mais leve...
M-a-i-s l-e-v-e...

Algumas considerações

Essa rotina possui alguns elementos relacionados ao movimento ideomotor. Além disso, devido à fadiga muscular, o braço direito vai cansando e vai dirigindo-se para baixo, favorecendo a sugestão.

Ainda que a rotina seja realizada em grupo, procure acompanhar e conduzir utilizando expressões no singular, como se estivesse falando pessoalmente com cada um dos presentes. Isso favorecerá o processo.

Olhos colados[54]

[Ainda que seja uma rotina de pseudo-hipnose, o ideal é que o sujeito já tenha se submetido à rotina dos dedos magnéticos, já que ela possui mais elementos fisiológicos do que essa.]

Sente-se confortavelmente nessa cadeira.

[Após o sujeito se sentar, diga:]

Agora, feche seus olhos...

[Após fechar os olhos, diga:]

Muito bem...

54 Videoaula disponível em http://bit.ly/olhoscolados. Acesso em 8 de janeiro de 2016.

Agora, imagine que estou passando uma cola muito poderosa sobre suas pálpebras.

[Nesse momento, passe seus dedos polegares levemente sobre cada uma das pálpebras do sujeito.]

Essa cola é muito poderosa.

Em algum momento, tocarei suas sobrancelhas e esses olhos ficarão ainda mais colados.

[Aguarde alguns instantes e, em seguida, toque as sobrancelhas simultaneamente, usando o dedo indicador para tocar uma das sobrancelhas e o polegar para tocar a outra. Qualquer toque no sujeito deve ser avisado com antecedência, para que ele não se assuste e não perca a concentração no processo.]

[Enquanto mantém o indicador e o polegar tocando a sobrancelha do sujeito, diga o seguinte:]

Farei uma contagem de um a cinco, e somente quando chegar ao número cinco, você vai tentar abrir os olhos, mas não vai conseguir, eles estarão completamente colados. Tenta, mas não consegue, tenta mas não consegue.

[Esse erro de flexão do verbo tentar é proposital. Ao colocarmos o verbo no imperativo presente, o sujeito o interpreta como um comando, e a informação vai direto ao inconsciente.]

[A cada número que você contar, levante as duas sobrancelhas do sujeito simultaneamente, como se simulasse uma tentativa frustrada de abrir os olhos.]

Um...

[Faça a simulação da tentativa frustrada de abrir os olhos. Mantendo os olhos do sujeito fechados, empurre a sobrancelha para cima.]

Quanto mais tenta, mais colado fica. Seus olhos estão cada vez mais grudados...

[Mais uma vez, simule a tentativa frustrada de abrir os olhos empurrando as sobrancelhas para cima.]

Dois. Quanto mais tenta, mais colado fica...
Mais grudados...

[Repita a simulação]

Três. Quanto mais tenta, mais colado fica...
Mais grudados...

[Repita a simulação]

Quatro. Completamente colados...
Completamente colados...

[Pela última vez, simule a tentativa frustrada de abrir os olhos.]

Cinco. Tenta, mas não consegue, tenta, mas não consegue.

[É importante que você não perca o tempo correto, o timing da rotina. No momento que você disser o número cinco, já engate na sequência o "tenta, mas não consegue; tenta, mas não consegue".]

Algumas considerações

Ao contrário do que as pessoas podem imaginar, essa rotina não possui nenhum elemento hipnótico. Os olhos ficam colados por um motivo simples. Após levantar as sobrancelhas do indivíduo várias vezes, você dá ao sujeito a impressão de que os músculos responsáveis pela movimentação das sobrancelhas são os mesmos músculos responsáveis pela movimentação das pálpebras. Assim, ele mexe com os músculos da sobrancelha com o objetivo de abrir os olhos.

O ilusionista e hipnotista Fernando Ventura ensina em seu curso uma variação dessa rotina, que pode ser aplicada coletivamente. Ele instrui os sujeitos a esfregar os polegares contra os dedos, até que os dedos fiquem bem quentes. Em seguida, ele os instrui a fechar os olhos e passar os dedos quentes sobre as pálpebras, sugerindo que a ponta dos dedos possui uma cola muito quente e poderosa. Os dedos quentes dão uma sensação fisiológica real, que, aliada à sugestão de que a cola é quente, cria novas experiências e favorece o sucesso da rotina.

Assim como a rotina anterior, sinta-se à vontade para utilizá-la no início da indução hipnótica propriamente dita.

Mãos coladas[55]

Fiquem todos de pé, juntem suas mãos e entrelacem seus dedos dessa maneira.

[Nesse momento, entrelace seus dedos e estique os braços, mantendo as palmas viradas para fora e os braços bem esticados.]

Estique seus braços ao máximo e levante-os até que as mãos fiquem um pouco acima da sua cabeça...

Isso! Agora, mantenha as mãos e os dedos bem apertados...

Estique os braços o máximo que conseguir e fixe seu olhar em um de seus próprios dedos...

Enquanto você mantém a mão bem apertada, imagine que existe uma cola muito forte e muito poderosa escorrendo entre os dedos...

Enquanto mantém o olhar fixado no dedo escolhido, você vai perceber que essas mãos e esses dedos vão ficando cada vez mais colados...

Estique ainda mais seus braços e continue com o olhar fixado em um dos dedos...

Farei uma contagem de 1 a 5... A cada número, seus dedos estarão duas vezes mais colados...

Quando chegar ao número 5, você vai tentar descolar suas mãos e não vai conseguir. Tenta, mas não consegue. Tenta, mas não consegue.

1... A cola está secando e esses dedos estão ficando completamente colados.

[Enquanto avança na contagem, aumente a imperatividade de seu discurso.]

2... Ainda mais colados...

3... A cola já está completamente seca e esses dedos já estão *completamente colados...*

55 Assista à videoaula dessa rotina em http://bit.ly/maoscoladas. Acesso em 8 de janeiro de 2016.

4... Estique o braço... Isso... Quanto mais estica, mais colado fica.
5... Tenta, mas não consegue; tenta, mas não consegue.
Quanto mais força você faz, mais colados eles ficam...
Cada vez mais colados...
Completamente colados...

Algumas considerações

Essa é certamente uma das rotinas mais utilizadas nos espetáculos de hipnose (ao menos, nos programas de TV). Essa rotina possui um forte elemento fisiológico: ao esticar os braços, torna-se mais difícil abrir os dedos. Obviamente, o roteiro poderá ser adaptado de acordo com sua preferência. No entanto, existem alguns pontos que favorecem o sucesso dessa rotina.

O primeiro desses pontos essenciais é a fixação do olhar. Ao dirigir o olhar para um ponto específico, fica mais fácil manter o sujeito concentrado em suas sugestões.

Os outros detalhes importantes estão contidos nessa frase:

5... Tenta, mas não consegue.

Observe que o comando diz para ele "tentar" descolar os dedos. Ao mencionar "tentar", você já dá a impressão de que ele não vai conseguir. A impossibilidade de descolar as mãos é reforçada pela expressão: "mas não consegue".

Antes de iniciar a rotina, o ideal é que você peça para os sujeitos tirarem seus anéis. Algumas pessoas podem manter as mãos tão presas que podem até se machucar se estiverem usando anéis muito grandes. Algumas vão permanecer com as mãos coladas por bastante tempo. Nesses casos, peça para que se aproximem do palco e, após enfileirá-las, diga: "Quando eu estalar meus dedos, as mãos soltarão." Estale os dedos. Se eventualmente alguém não descolar suas mãos, vá até essa pessoa e repita a operação.

Não avance com sua apresentação até que todos tenham soltado suas mãos.

Pé colado

[Ainda que seja uma rotina de pseudo-hipnose, o ideal é que o sujeito já tenha se submetido a algumas das induções anteriores, pois elas possuem mais elementos fisiológicos do que essa.]

Você é canhoto ou destro?

[Na verdade, a rotina é exatamente a mesma, independentemente da resposta do sujeito. No entanto, essa pergunta é um comando que força o indivíduo a participar do processo, tornando-o mais aberto à sugestão. Apenas para exemplificar a rotina, iremos supor que o indivíduo tenha respondido que é destro.]

Dê um passo à frente com seu pé direito... Isso, permaneça nessa posição.

Concentre-se em apenas um ponto da ponta de seu sapato... Escolha um ponto e concentre-se apenas nele.

[Observe que, pelo simples fato de o sujeito concentrar-se nesse ponto, ele inclinará levemente o corpo para a frente, distribuindo gradativamente o seu próprio peso na perna direita.]

Imagine uma cola muito poderosa... Essa cola está colando o seu pé no chão. Enquanto mantém o seu olhar fixado na ponta do pé, você vai percebendo que esse pé vai ficando cada vez mais colado...

Estique a perna direita e continue com o olhar fixado na ponta do pé...

Farei uma contagem de 1 a 5... A cada número, seu pé estará duas vezes mais colado...

Quando chegarmos ao número 5, você vai tentar descolar esse pé, mas não vai conseguir. Tenta, mas não consegue, tenta, mas não consegue.

[A cada número, dê um leve toque nas costas do sujeito. Isso vai favorecer o sujeito a distribuir ainda mais o peso na perna direita, o que vai, por sua vez, dificultar ainda mais a tentativa de levantar os pés posteriormente.]

1...

A cola está secando, e esse pé está ficando completamente colado.

[Enquanto avança na contagem, aumente a imperatividade de seu discurso.]

2...

A cola está quase seca, e esse pé está completamente colado... Continue olhando fixamente para a ponta do seu pé... Quanto mais você se concentra, mais esse pé fica colado...

3...

A cola já está completamente seca e seu pé já está *completamente colado...*

Estique mais sua perna direita... Quanto mais você sente a perna esticada, mais colado o pé fica...

Quanto mais você tentar descolar o pé, mais colado ele vai ficar... **Mais colado...**

4...

Quanto mais você tentar descolar esse pé, mais colado ele vai ficar... **Cada vez mais colado...**

5...

Tenta soltar, mas não consegue. Tenta, mas não consegue.

Quanto mais força você faz, mais colado ele fica...

Cada vez mais colado...

Completamente colado...

Como é a sensação de estar com o pé preso?

[Repita a mesma resposta do sujeito. No caso, iremos supor que ele diga que é uma sensação curiosa.]

Sim... É uma sensação curiosa...

Quando eu estalar meus dedos, seu pé ficará livre.

[Estale os dedos.]

ALGUMAS CONSIDERAÇÕES

Essa rotina possui um forte elemento fisiológico: ao concentrar-se um pouco no pé, o sujeito automaticamente transfere seu peso para essa perna. No entanto, devido à concentração de toda atenção do sujeito no pé, ele simplesmente não percebe. O comando de esticar a perna também favorece a sensação de que o pé está colado ao chão. Finalmente, o leve toque nas costas induz o sujeito a transferir o peso ainda mais para o pé direito, dando a nítida sensação de que seu pé está completamente colado.

Mãos magnéticas[56]

Fique de pé e estique seus braços e suas mãos dessa forma.

[Após o sujeito levantar-se, estique seus braços horizontalmente no nível dos ombros, em direção perpendicular ao tronco.]

Ótimo! Mantenha-se nessa posição, inspire profundamente, segure o ar e feche os olhos...

Enquanto você expira lentamente, imagine que cada palma da sua mão possui um ímã muito poderoso... ...

Inspire profundamente mais uma vez e, ao soltar o ar, imagine a força que esses ímãs fazem...

Expire bem lentamente...

E imagine a forte atração que essas mãos exercem entre si...

Imagine que essas mãos estão se aproximando cada vez mais...

Mais e mais...

[Avalie o quanto as mãos se aproximam. Se estiverem paradas, dê um leve toque em cada mão, de forma a favorecer a suposta atração entre elas. É importante que esses toques sejam discretos.]

Mais e mais...

Algumas considerações

Essa rotina possui alguns elementos relacionados ao movimento ideomotor. No entanto, ela possui bem menos elementos fisiológicos do que as rotinas anteriores. Ao aplicá-la, utilize truísmos ao máximo. Ou seja, ao primeiro sinal de movimentação das mãos, você pode dizer: "Essas mãos começam a se mover".

56 Videoaula disponível em http://bit.ly/maosmagneticas. Acesso em 8 de janeiro de 2016.

Pêndulo de Chevreul

Esse é um dos mais antigos e mais famosos testes de suscetibilidade. Quando criança, lembro-me de assistir ao personagem Pica-Pau hipnotizando seus inimigos com essa técnica. Esse é um dos melhores testes para demonstrar a existência da ação ideomotora. Por esse motivo, mesmo sujeitos com baixa suscetibilidade costumam responder bem a esse teste.

[Se você tiver uma poltrona com braço, peça para o sujeito descansar o antebraço ou o cotovelo em um de seus braços, de forma que seja possível que ele segure a extremidade livre da corda de um pêndulo entre o polegar e o dedo indicador. Se preferir, você também pode pedir para o sujeito sentar-se a uma mesa, de forma que o pêndulo fique livre para movimentar-se, mas sem tocar a mesa. Não existem regras: o importante é o pêndulo ficar em uma posição confortável e de fácil mobilidade. Enquanto o sujeito segura a extremidade da corda, segure o peso do pêndulo, mantendo a corda esticada e com o mínimo de movimentação possível. Em seguida, solte suavemente o pêndulo e diga:]

Olhe o pêndulo... Mantenha seus olhos sobre ele. Agora, imagine que o pêndulo está se movendo para frente e para trás... Para frente... E para trás... Visualize esse movimento em sua mente... Indo e voltando... Indo... E voltando...

[Lembre-se de acompanhar as reações do sujeito. Se o pêndulo estiver movimentando-se em círculos, você pode dizer:]

Ou então, o pêndulo pode mover-se em círculos...

[Se o pêndulo estiver andando para direita e para esquerda, você pode dizer:]

Ou então, o pêndulo pode ir da direita para a esquerda...
Indo e voltando...
[É importante que você sinalize o início da movimentação do pêndulo. Assim que ele começar a se mover, diga:]

Isso...

E esse movimento pode aumentar cada vez mais... Indo e voltando...

[Para terminar, basta pegar suavemente o peso do pêndulo e dizer:]

Muito bom.

ALGUMAS CONSIDERAÇÕES

Alguns hipnotistas costumam utilizar o círculo abaixo para facilitar o processo.

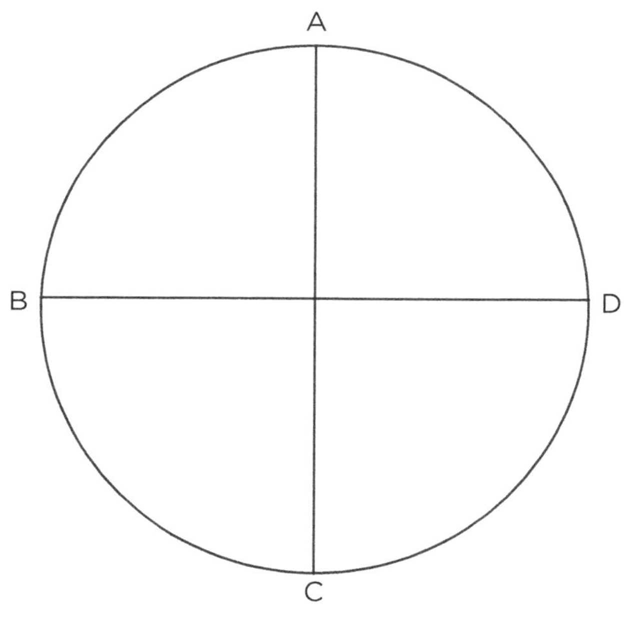

Nesse caso, você poderia dizer: "Mova o pêndulo da esquerda para a direita, de B para D... Indo e voltando...". Esse círculo também permite as outras variações: circular e para frente e para trás.

4 . Induções hipnóticas

"Os três requisitos para a hipnose são: o consentimento do sujeito, a comunicação entre o operador e o sujeito e a libertação do medo ou relutância por parte do sujeito de confiar no operador. Uma vez que estes são os únicos requisitos, é óbvio que esses autores estão errados quando dizem que qualquer técnica de fixação ocular específica, por exemplo, é a única maneira confiável para induzir o transe. Na realidade, não existe um limite para o número de técnicas que podem ser utilizadas para desencadear a resposta desejada; pode-se dizer que não há nenhuma maneira em que você não pode hipnotizar uma pessoa, uma vez que você saiba como utilizar a sugestão."

Dave Elman, hipnotista norte-americano

Caminhos para o transe

As formas de induzir à hipnose são quase incontáveis. Ainda que alguns métodos sejam mais lentos que outros, todos podem ser usados para produzir o transe profundo, também conhecido como "transe sonambúlico", que foi acidentalmente descoberto por um aluno de Mesmer, conhecido como marquês de Puységur.

Assim como Mesmer, ele usava uma árvore supostamente magnética em seus tratamentos. Certo dia, verificou que um rapaz estava amarrado a essa árvore. Enquanto o marquês o observava, o garoto lentamente fechou os olhos e, aparentemente, caiu no sono.

O marquês, extremamente assustado, deu o comando para que o garoto desatasse os nós. Para sua grande surpresa, o rapaz, sem abrir os olhos, fez o que lhe foi ordenado. Continuando a experiência, o marquês mandou o menino andar para a frente, e o menino obedeceu. Em seguida, ordenou que o menino parasse, e ele parou. Depois de mais alguns comandos desse tipo, aos quais o menino obedecia sem exceções, o marquês deu o último comando: "abra os olhos e acorde". O menino despertou imediatamente. A partir dessa situação, Puységur proclamou sua descoberta como um tipo de sonambulismo, porque ele viu o menino obedecer a todos os comandos enquanto aparentava dormir.

Desde então, o termo "transe sonambúlico" é utilizado para identificar o transe mais profundo. Além disso, provou como induzir esse estado é fácil, já que o menino entrou em transe sonambúlico sozinho, sem instruções. Como dizia Dave Elman, as induções hipnóticas – métodos para se alcançar o transe – são limitadas apenas pela imaginação do hipnotista. Se você souber os princípios por trás das induções hipnóticas, pode utilizar qualquer coisa para induzir ao transe.

Porém, muitos hipnotistas são contra a aprendizagem de roteiros de indução hipnótica, pois, segundo eles, ao basear-se em roteiros, a prática do hipnotista ficaria supostamente engessada. No entanto, vejo a questão de uma forma diferente. Durante a execução das primeiras induções hipnóticas, a segurança dos sujeitos é abalada muito facilmente. A memorização dos roteiros dá ao leigo a possibilidade de entender melhor o processo de indução hipnótica e, posteriormente, ser capaz de criar suas próprias induções. Assim, não se prenda aos roteiros, mas permita que seu uso amplie sua habilidade de hipnotizar.

O transe hipnótico

Trata-se, provavelmente, de um dos momentos mais esperados da hipnose: o transe. Como você já sabe, grande parte dos números de hipnose de palco não requer o estado de transe hipnótico. Até mesmo alucinações positivas – imaginar que está vendo algo que não existe – ou negativas – imaginar que não se está vendo algo que na verdade está em seu campo visual – podem acontecer sem o estado do transe.

No entanto, o transe hipnótico tem sua importância, por exemplo:

a) Ainda que o transe possa não existir – de acordo com as teorias de não estado –, o suposto aprofundamento serviria para envolver ainda mais o indivíduo nas sugestões, favorecendo o fenômeno da conformidade privada.
b) Em apresentações, o público quer assistir a alguém no estado de transe hipnótico. Então, você precisa entregar isso à audiência.
c) Se o hipnotista se submeter ao transe com frequência, ele aprenderá cada vez mais sobre o processo. O ideal é você discutir sobre as técnicas com alguém de modo que possam treinar as induções juntos.
d) De acordo com as teorias de estado, no contexto de hipnoterapia, o transe é essencial para o processo terapêutico.

Antes de estudar a indução ao transe hipnótico, é essencial entender seus diversos níveis de profundidade e os fenômenos associados a cada nível.

Níveis de transe hipnótico

De acordo com as teorias de estado, poderíamos classificar o transe hipnótico de acordo com sua profundidade. Charcot costumava dividir a hipnose em três estágios: catalepsia, letargia e sonambulismo. O primeiro estágio, a catalepsia, era caracterizado pela rigidez dos membros do corpo. Esse estágio era obtido utilizando uma luz brilhante ou um ruído súbito. O segundo, a letargia, era caracterizado por um aparente sono profundo. Já o terceiro estágio, o sonambulismo, era caracterizado por alucinações e movimentação do sujeito de acordo com os comandos do hipnotista.[57]

Karl Weissman definiu o transe hipnótico em cinco estágios. Ainda que essa classificação tenha sido feita na década de 1950, ela ainda é muito utilizada. As principais características correspondentes a cada um desses graus ou estágios de hipnose são:[58]

1: Insuscetível: Não apresenta características hipnóticas de espécie alguma.

2: Hipnoidal: Esse estágio, apesar dos sintomas que apresenta, ainda não é considerado estado de transe. Caracteriza-se, entre outras coisas, pelo relaxamento muscular. O sujeito mostra uma expressão de cansaço e, com frequência, um tremor nas pálpebras e contrações espasmódicas nos cantos da boca e nas mãos.

3: Transe ligeiro: O sujeito começa a sentir, primeiramente, os membros pesados e, em seguida, todo o corpo. Experimenta um estado de alheamento, embora conserve ainda plena consciência de tudo que se passa ao redor. Entre outros sintomas, apresenta catalepsia ocular e dos membros, bem como rigidez cataléptica. O sujeito demonstra pouca inclinação a falar, bem como tendência a responder às perguntas que lhe são feitas por meio de movimentos com a cabeça ou com a mão. Já

57 WEINER, I. B.; FREEDHEIM, D. K. *Handbook of psychology*: history of psychology. Nova Jersey: John Wiley & Sons, 2003.

58 Adaptado do texto de WEISSMANN, K., 1958.

não quer mover-se ou mudar de posição. Não tosse. E, não obstante as situações ridículas em que o operador o possa colocar, mantém-se sério, como se já não estivesse criticamente afetado. A respiração é mais lenta e, aparentemente, mais profunda. Nesse estágio, o indivíduo obedecerá às sugestões mais simples, oferecendo, todavia, resistência a sugestões mais complicadas.

4: Transe médio: Nesse estágio, embora conserve alguma consciência do que se passa, o sujeito está efetivamente hipnotizado. Já não oferece resistência às sugestões, salvo quando elas contrariam seu código moral ou seus interesses vitais. Nesse estágio, notamos catalepsia completa dos membros e do corpo, amnésia parcial, alucinações motoras, alucinações positivas e negativas dos sentidos, completa inibição muscular e alucinações sinestésicas. No transe médio já se conseguem efeitos analgésicos e mesmo anestésicos locais, razão pela qual é indicado para pequenas cirurgias. É nesse estágio que se intensifica o *rapport* entre o sujeito e o hipnotista, notando-se ainda uma hiperacuidade em relação às condições atmosféricas.

5: Transe profundo (estágio sonambúlico): É esse o transe no sentido superlativo do termo. Nesse estado, a pessoa aceita as sugestões pós-hipnóticas mais bizarras. É o estágio que se caracteriza, entre outras coisas, pela possibilidade de mandar o paciente abrir os olhos sem afetar-lhe o transe. Abertos, os olhos apresentam uma expressão impressionantemente fixa, com as pupilas visivelmente dilatadas. A aparência é a de quem está submerso num sono profundo, ainda que reaja com maior ou menor presteza às sugestões proferidas pelo hipnotista. Nesse estágio, o operador pode assumir o controle das funções orgânicas, influindo, por meio de sugestões diretas ou indiretas, no ritmo das pulsações cardíacas, na pressão arterial, nos processos metabólicos etc. A hipermnésia, a regressão de idade, as alucinações visuais e auditivas, negativas e positivas e pós-hipnóticas são outros atributos do transe sonambúlico. A isso temos que acrescentar a anestesia e, o que é mais importante, a anestesia pós-hipnótica. Os pacientes submetidos ao transe profundo podem ser anestesiados pós-hipnoticamente. O hipnotista, indicando ao sujeito a região a ser anestesiada, determina as condições específicas (dia, hora ou local) nas quais a anestesia deve produzir efeito.

E o paciente poderá ser submetido à intervenção, independentemente de novo transe e da ausência do hipnotista. A anestesia completa, que é uma das características mais convincentes do transe profundo, é com razão apontada como um dos fenômenos clinicamente mais importantes, pois possibilita qualquer tipo de operação sem anestesia química, inclusive amputações.

Em geral, a indução do transe profundo exige de trinta minutos a uma hora de trabalho ininterrupto. Mas a hipnose é um fenômeno que se explica e se produz, antes de tudo, em função do paciente. É pelas reações do sujeito que o hipnotista avalia a autenticidade e a profundidade do transe. Há pacientes que têm de ser treinados, alcançando os estágios mais profundos por meio de várias sessões. Há os que entram em transe profundo quase de maneira instantânea. Contudo, para efeitos de controle, é importante acrescentar que o transe sonambúlico exige conhecimentos mais profundos das reações psicológicas por parte do hipnotista e os que possuem menos experiências e conhecimento no campo da psicologia podem suscitar situações um tanto quanto embaraçosas, para eles mesmos e também para os hipnotizados.

O sono é possivelmente a palavra mais utilizada no vocabulário do hipnotista. O motivo é simples: todos nós dormimos todas as noites e sabemos que, na hora de dormir, desligamos parte de nosso senso crítico. Dessa maneira, ainda que transe hipnótico e sono sejam estados completamente diferentes, as palavras "sono" e "dormir" funcionam muito bem com o propósito de indução ao transe.

Dave Elman costumava definir a hipnose como o desvio do senso crítico e a instalação do pensamento seletivo. Para o surgimento do fenômeno hipnótico, é essencial que o juízo crítico esteja desligado. Com isso, novas experiências vão surgindo e instalando o *loop* hipnótico. Uma maneira de minimizar o juízo crítico é dizer aos sujeitos que eles não precisam atender às palavras do hipnotista: "Não se preocupe com o que estou dizendo, minhas palavras vão entrar naturalmente em sua mente, sem que você tente prestar a atenção. Apenas deixe que as coisas aconteçam naturalmente". Milton Erickson costumava dizer as seguintes palavras a seus pacientes: "Você não está realmente preocupado com o fato de conseguir muitas coisas sem precisar pensar sobre elas".

A indução de Elman[59]

A indução de Elman, que pode levar em torno de dois minutos para acontecer, é extremamente poderosa. Essa rotina induz o sujeito ao transe várias vezes seguidas, o que torna o transe bem mais profundo. A maior parte dos sujeitos entra no estado de transe sonambúlico ao final dessa indução, motivo pelo qual ela é considerada uma indução rápida.

[Essa rotina deve ser realizada com o sujeito sentado.]

Por favor, sente-se nessa cadeira.

[Após ele sentar-se.]

Muito bem. Agora, descanse seus braços e suas mãos sobre suas coxas.

[Essa rotina envolverá alguns toques no pulso, no ombro e na testa do sujeito. Lembre-se de alertá-lo quanto a isso.]

Inspire profundamente e segure o ar...

[Aguarde cerca de dois segundos.]

Isso! Enquanto solta o ar, feche os olhos e relaxe. Eu quero que você relaxe todos os pequenos músculos e nervos em torno de seus olhos. Quero que você relaxe-os até que simplesmente mantenham-se fechados... Quando achar que seu relaxamento já chegou a esse ponto, faça um pequeno teste e verifique se seus olhos realmente não abrem devido a todo esse relaxamento...

[Aguarde a testagem. Se o sujeito abrir os olhos, não se preocupe. Basta que você reaja normalmente e diga:]

Muito bem. Você se lembra de quando eu disse que hipnose é um processo inteiramente consciente? Você quis abrir seus olhos e eles se abriram. Agora, quero que você faça um teste diferente. No primeiro

59 Assista à videoaula dessa indução aqui: http://bit.ly/inducaoelman. Acesso em: 22 de novembro de 2015.

momento, você tentou abrir os olhos para ver se conseguiria. Agora, quero que você realize um segundo teste, para verificar se eles não vão funcionar. E no momento em que tiver certeza de que eles não abrirão, prove para si mesmo que você é incapaz de abri-los. Tente mais uma vez e prove para si mesmo que eles não abrirão.

[Alguns sujeitos abrirão os olhos ainda mais uma vez. Nesse caso, você pode simplesmente encaixar outra rotina de indução completamente diferente. Após verificar uma tentativa frustrada de abrir os olhos – geralmente ela é caracterizada pelo levantar das sobrancelhas ou vibração das pálpebras –, faça uma pausa de cerca de dois segundos e continue:]

Muito bom. Não precisa mais testar... Relaxe-os novamente. Permita que todo o relaxamento que seus olhos estão sentindo vá em direção às pontas dos seus pés... como uma onda bem quente de relaxamento... Muito bom! Em instantes, vou pedir para você abrir seus olhos... e fechá-los novamente... Quando fechá-los, entrará em um relaxamento dez vezes maior do que o que você está sentindo agora...

[Antes de dar o comando para o sujeito abrir os olhos, coloque sua mão com a palma aberta e os dedos cerrados, tapando o olhar do sujeito. Ao tapar-lhe o olhar, você dificulta o sujeito a ajustar o foco do olhar, favorecendo o relaxamento. Além disso, você evita que o sujeito se distraia com algo da sala. Enquanto ele mantiver os olhos abertos, continue tapando sua visão com a palma da sua mão.]

Abra os olhos...

[Aguarde dois segundos.]

Feche os olhos novamente... Sinta-os dez vezes mais relaxados... Bom...

Em instantes, vou pedir para você abrir seus olhos mais uma vez... e fechá-los de novo. Quando fechá-los, você entrará em um relaxamento duas vezes maior do que você está sentindo agora...

[Antes de dar o comando para o sujeito abrir os olhos, tape-os.]

Abra os olhos...

[Aguarde dois segundos.]

Feche os olhos novamente... Sinta-os duas vezes mais relaxados... Bom...

Em instantes, vou pedir para você abrir seus olhos mais uma vez... e fechá-los novamente. Quando fechá-los, você entrará em um relaxamento ainda mais profundo do que o que você está sentindo agora...

[Antes de dar o comando para o sujeito abrir os olhos, tape novamente o olhar dele.]

Abra os olhos...

[Aguarde dois segundos.]

Feche os olhos novamente... Sinta-os ainda mais profundos, ainda mais relaxados... Isso...

Escute apenas o som da minha voz... E o som da minha voz permite que você aprofunde ainda mais... Ainda mais profundo e mais relaxado... Talvez você esteja escutando outro som, de pessoas conversando, carros passando ou até mesmo de uma sirene de polícia ou ambulância... Não importa. Nenhum desses barulhos vai lhe incomodar ou atrapalhar... Na verdade, qualquer outro barulho vai apenas auxiliá-lo a relaxar ainda mais... Cada vez mais profundo, cada vez mais relaxado... Muito bom! Daqui a pouco, pegarei seu braço pelo pulso.

[Toque levemente o pulso do sujeito enquanto avisa sobre o toque.]

Se você tiver seguido corretamente todas as instruções, esse braço vai estar muito mole e relaxado... Pegarei esse braço pelo pulso e o levantarei alguns centímetros e o soltarei. Quando eu fizer isso, você entrará em um estado de relaxamento dez vezes maior do que esse.

[Sempre avise ao sujeito quando você estiver prestes a tocá-lo. Além de elevar a expectativa gerada, você evita que o sujeito se assuste e perca o foco na indução.]

[Pegue o pulso do sujeito. Após isso, balance-o levemente para avaliar o relaxamento do pulso. Alguns sujeitos não relaxam o braço, deixando-o muito rígido. Suponha que o braço do sujeito esteja tenso. Nesse caso, balance-o levemente e dê o comando:]

Mais relaxado... Ainda mais relaxado... Ainda mais...

[Quando estiver relaxado suficientemente, diga:]

Isso.

[Após verificar que o pulso está realmente mole, aguarde cerca de dois segundos e solte-o. É importante que você tenha controle sobre o local onde a mão cairá. O ideal é que a mão do sujeito caia sobre o braço da poltrona ou sobre suas coxas. O impacto da queda é um importante recurso fisiológico dessa rotina. Logo após o impacto da mão sobre o braço da poltrona ou a coxa do sujeito, diga:]

Dez vezes mais relaxado... Muito bom. Você está indo muito bem... Agora que seu corpo já está completamente relaxado, é hora de relaxarmos sua mente também. Em instantes, lhe pedirei para contar, em voz alta, de 100 até 1, de trás para frente. Permita que, a cada número dito, você aprofunde ainda mais seu relaxamento mental. Quando disser o número "98", ou até mesmo antes, permita que esses números simplesmente desapareçam da sua mente. Comece a imaginar como isso acontecerá... E você conseguirá fazer isso... Agora, comece a contagem de trás para frente, bem lentamente, iniciando pelo número 100.

[Aguarde que o sujeito diga o número 100 em voz alta. Após ouvir o número 100, diga:]

Muito bom... Dobre esse relaxamento mental...

[Aguarde que o sujeito diga o número 99.]

Dobre seu relaxamento. Prepare-se para que os números desapareçam...

[Aguarde que o sujeito diga o número 98.]

Permita que os números simplesmente sumam da sua mente... Muito bem...

Eles já sumiram completamente?

[Aguarde a confirmação do sujeito. Caso ele responda negativamente, simplesmente retome o processo de relaxamento e os comandos para o desaparecimento dos números. Após o sujeito confirmar que os números desapareceram (geralmente, apenas consentem com a cabeça, mas também podem responder verbalmente, com tom de voz mais baixo), prossiga:]

Muito bem... Como você seguiu corretamente todas as instruções, elas estão entrando diretamente em seu subconsciente.

[Faça o aprofundamento, se necessário. Nos tempos de Elman, essa rotina era muito utilizada para induzir anestesias, já que os sujeitos entravam em um transe muito profundo.]

Sugestões pós-hipnóticas

Em termos gerais, a sugestão pós-hipnótica é toda e qualquer sugestão dada a uma pessoa durante o transe, para ser realizada após o indivíduo despertar. É realmente surpreendente a maneira como o subconsciente responde à sugestão durante o estado de transe.

O objetivo desta seção é fornecer uma visão geral dos três tipos básicos de sugestão pós-hipnótica: signo-sinal, não terapêuticas e terapêuticas. Além disso, as terapêuticas podem ser estruturadas de duas formas: sugestões diretas ou sugestões indiretas.

Signo-sinal[60]

Os métodos de indução listados anteriormente funcionam muito bem, mesmo nos indivíduos menos suscetíveis. No entanto, essas induções podem dispender muito tempo. Imagine que você esteja realizando um atendimento

60 Assista à videoaula dessa rotina disponível em: http://bit.ly/signosinal. Acesso em: 22 de novembro de 2015.

clínico e utilize a hipnose como ferramenta. Caso não possua algum instrumento adicional, você gastará ao menos um terço do tempo da consulta com a indução propriamente dita. O signo-sinal também é essencial para as apresentações públicas de entretenimento, já que é muito impressionante observar alguém entrando em transe instantaneamente. Entre todos os métodos de indução rápida, o signo-sinal é um dos mais fáceis e seguros.

O signo-sinal é uma sugestão pós-hipnótica bem simples de ser executada. Inicialmente, o sujeito já precisa estar em transe. Em seguida, você criará algum gesto, sinal ou toque que indique ao sujeito que ele deve imediatamente voltar ao estado em que ele se encontrava no momento de instalação da sugestão. Quando o indivíduo estiver em transe profundo, diga:

> Quando eu, e apenas eu, estalar meus dedos e, simultaneamente, disser '**durma**', você entrará imediatamente no mesmo estado de transe em que se encontra agora. Se estiver sentado, você permanecerá sentado quando voltar a esse estado. Se você estiver de pé, você vai ficar nesse estado. Assinta com a cabeça se você tiver entendido.

Alguns hipnotistas, em suas apresentações, gostam de dar um ar mais místico para o signo-sinal, dizendo, por exemplo: "quando eu tocar no centro de sua testa entre as sobrancelhas... conhecido como 'o terceiro olho' ou 'o olho de Sheeva', você vai voltar imediatamente ao estado de transe atual (ou voltar a dormir profundamente)".

Como mágica, minutos após ter sido despertado do transe, a simples execução do signo-sinal é capaz de levar o sujeito imediatamente ao nível de transe anterior. Alguns sujeitos possuem dificuldade em relaxar. Nesses casos, você também pode instalar um signo-sinal para induzir ao relaxamento instantâneo. Geralmente, o signo-sinal é mais bem instalado se houver algum elemento fisiológico envolvido em sua criação. Por exemplo: um signo-sinal que envolva um leve toque no pescoço possui mais elementos para a indução do que um signo-sinal que envolva apenas o estalar dos dedos.

Sugestão pós-hipnótica não terapêutica

A sugestão pós-hipnótica não terapêutica é aquela que não tem benefício para o sujeito. Geralmente, essas são as sugestões utilizadas pelo hipnotista em alguma apresentação de hipnose de palco. Às vezes, elas são usadas no contexto terapêutico com o objetivo de convencer a pessoa de que ela realmente vivenciou o transe hipnótico.

Na hipnose de palco, essas sugestões podem acontecer de duas formas diferentes. A primeira delas, e a mais comum, é aquela em que se fala ao ouvido do sujeito. Essa maneira costuma ser a mais segura, visto que apenas o hipnotista sabe o que foi realmente sugerido. Caso a proposta não seja seguida pelo sujeito, a plateia não perceberá e o hipnotista poderá encaixar outra sugestão em seguida. Outra vantagem de se falar ao ouvido do sujeito é a possibilidade de dar sugestões completamente diferentes, para cada um dos sujeitos assentados nas cadeiras do palco.

A segunda forma de se realizar essas sugestões nos espetáculos de hipnose de palco é anunciar em voz alta a sugestão. Por exemplo: "Agora, você está participando de um concerto musical. Você é o violinista". O anúncio em voz alta serve para que todos os sujeitos realizem a mesma sugestão simultaneamente.

O hipnotista também pode dar sugestões individuais em voz alta. Para isso, ele precisa associar essa sugestão a algum toque. Por exemplo, o hipnotista pode falar: "Em determinado momento, tocarei um de vocês no ombro". Após tocar o ombro de algum sujeito em especial, diga: "O sujeito que estou tocando neste exato momento falará apenas marciano. Você não sabe mais português e saberá falar apenas em marciano". Não é comum utilizar sugestões individuais em voz alta nos espetáculos de hipnose de palco. No entanto, em meus cursos e treinamentos de hipnose, ela é muito útil, já que permite que os outros alunos observem a maneira como essas sugestões podem ser dadas.

Como se...

Quando você faz uma sugestão que pode ser mal interpretada ou produzir alguma reação negativa no sujeito, uma boa ideia é usar a expressão "como se" antes de fazer a sugestão. Por exemplo, suponha que você deseja fazer alguma brincadeira em que os sujeitos se sintam como uma criança de 6 anos. É contraindicado dar qualquer sugestão que envolva a regressão de idade para entretenimento. Afinal, o sujeito pode ter tido experiências traumáticas naquela fase da vida, podendo desencadear ab-reações. No entanto, se você simplesmente dá a sugestão: "Nesse momento, você vai agir como se fosse uma criança de 6 anos que faz caretas para o professor". Essa é uma proposta mais segura e igualmente eficaz.

Vamos a outro mau exemplo. "Quando se sentar naquela cadeira, você vai sentir um doloroso choque elétrico." Talvez, o sujeito já tenha sido eletrocutado alguma vez, o que também pode desencadear uma série de ab-reações. No entanto, você poderia dar o comando: "Quando você sentar no banco, você vai agir como se estivesse recebendo um choque elétrico doloroso, mas sem sentir dor". A expressão "como se" resguarda o sujeito ao máximo de qualquer dor.

Alucinações e delírios[61]

Em apresentações públicas de hipnose, é possível provocar alucinações e delírios nos sujeitos durante o transe.

As alucinações são experiências sensoriais falsas criadas pelo cérebro. Apesar de parecerem reais, não existe qualquer estímulo externo responsável por sua criação. Elas podem ocorrer em qualquer um de nossos cinco sentidos: visão, audição, olfato, tato ou paladar. Além disso, as alucinações podem ser positivas (perceber algo que não existe) ou negativas (deixar de perceber algo que existe). Por exemplo, suponha que alguém esteja experimentando uma alucinação auditiva positiva. Nesse caso, essa pessoa vai ouvir um som que não existe. Por outro lado, suponha que alguém esteja experimentando uma alucinação auditiva negativa. Nesse caso, deixará de ouvir um som do ambiente em que ele se encontra.

Já os delírios, apesar de semelhantes às alucinações, possuem uma natureza distinta. São interpretações incorretas da realidade externa. Ou seja: eles surgem a partir de elementos que existem no ambiente. Para esclarecer esse conceito, suponha que você tenha acabado de assistir a um filme de terror e esteja muito assustado. Após apagar as luzes e deitar na cama, você tem a impressão de que um vulto o observa pela janela. Então, você se assusta, acende as luzes e percebe que se tratava apenas de um passarinho. Nesse caso, seu cérebro criou algo irreal (o vulto) a partir de um elemento real (o passarinho).

A hipnose permite que o hipnotista sugira alucinações e delírios. No entanto, como você deve imaginar, é muito mais fácil sugerir delírios do que alucinações. Por exemplo, suponha que você deseja sugerir ao sujeito a existência de uma cobra. Nesse caso, é mais fácil sugerir que uma mangueira é uma cobra (delírio) do que simplesmente sugerir que exista uma cobra em um ambiente vazio (alucinação). A propósito, quanto mais parecidos os objetos reais forem de seus respectivos delírios, mais fácil será instalar a sugestão no sujeito. Por exemplo, suponha que o indivíduo esteja em transe e você deseja sugerir algum delírio envolvendo um copo d'água. Nesse exemplo, se você sugerir que o copo

61 Assista a essa videoaula disponível em: http://bit.ly/alucinacoes. Acesso em: 22 de novembro de 2015.

d'água é um copo de refrigerante de limão ou de laranja, você estará sugerindo um delírio – afinal, a imagem será criada a partir de algo que já existe: o copo d'água. No entanto, devido ao fato de a água e o refrigerante de limão serem transparentes, será mais fácil sugerir que o copo é de refrigerante de limão do que de laranja. Em espetáculos de hipnose de palco, é muito comum o uso de balões de ar com o objetivo de favorecer o surgimento dos delírios. Por exemplo, um balão verde é apresentado ao sujeito e lhe é sugerido que se trata de um duende. Além disso, com a prática, percebi que as alucinações negativas são mais fáceis de serem induzidas do que as positivas. Ou seja, costuma ser mais fácil sugerir que algum objeto está invisível (uma alucinação negativa) do que sugerir a existência de algo (uma alucinação positiva).

Assim, compreendendo essas distinções, ficará mais fácil de você criar suas próprias sugestões.

Crie um contexto[62]

Suas sugestões pós-hipnóticas terão uma taxa de sucesso bem maior se você criar um contexto adequado para elas. Suponha, por exemplo, que você queira fazer a famosa rotina da cebola, em que o sujeito come uma cebola achando que se trata de uma maçã. Antes de sugerir que você irá apresentar uma maçã deliciosa (no caso, a cebola), dê sugestões que criem um contexto adequado para essa rotina. Por exemplo, antes de propor que o sujeito coma a cebola, você pode dizer que ele está com muita fome, morrendo de vontade de comer uma maçã. Dessa forma, suas sugestões funcionarão mais facilmente.

A supersugestão[63]

A supersugestão é um comando que prepara a execução de diversas rotinas de hipnose. Aprendi sobre ela no livro *Deeper and deeper*, do famoso hipnotista Jonathan Chase, publicado em 2005. No entanto, Chase não foi o criador dessa sugestão. Segundo o próprio autor, existem livros de hipnose do século XIX que já citavam essa rotina.

[Antes de executar essa rotina e as rotinas seguintes, lembre-se de já ter aprofundado o sujeito no mínimo até o transe médio.]

62 Assista a essa videoaula em: http://bit.ly/expectativanahipnose. Acesso em: 22 de novembro de 2015.

63 Assista a essa videoaula em: http://bit.ly/supersugestao. Acesso em: 22 de novembro de 2015.

A partir deste momento **tudo** o que eu digo a você... **Cada coisa** que eu disser, não importa quão tola ou estúpida pareça... **vai se tornar instantaneamente realidade**. Tudo o que eu disser vai se tornar instantaneamente a sua **realidade.**

[Após essa sugestão, os sujeitos estarão bem mais suscetíveis às próximas. Veja algumas a seguir.]

Removendo as sugestões

Lembre-se de sempre remover as sugestões não terapêuticas ao final da rotina. Por exemplo, suponha que você tenha feito uma sugestão segundo a qual o sujeito deverá dar uma gargalhada toda vez que ouvir um estalar de dedos. Nesse caso, se você se esquecer de remover essa sugestão pós-hipnótica, haverá o risco de o sujeito ficar com essa mania instalada por tempo indeterminado, levando-o a constrangimentos.

Presente hipnótico[64]

Os sujeitos já foram hipnotizados e foram os responsáveis pelo sucesso do seu espetáculo. Após remover as sugestões não terapêuticas, sejam elas quais forem, crie sugestões terapêuticas que possam beneficiar esses sujeitos após o transe.

Em inglês, essas sugestões terapêuticas são chamadas de *hypnotic gift*; eu opto por usar o termo "presente terapêutico". Veja um possível roteiro para o presente terapêutico após o show de hipnose.

Farei uma contagem, de trás para a frente, de cinco até um. Quando eu falar o número um, você estará bem desperto e se sentindo muito bem, em todos os sentidos.

[Eu costumo utilizar números maiores para aprofundamento e números menores para diminuir o nível do transe. Muitos hipnotistas costumam fazer o contrário, utilizam números maiores para tornar o transe mais superficial e os menores para aprofundamento. Não importa muito o sistema que você irá utilizar. No entanto, o ideal é que você seja consistente.]

64 Assista a essa videoaula em: http://bit.ly/presentehipnotico. Acesso em: 22 de novembro de 2015.

Porém, antes disso, eu queria que você fizesse uma busca na sua mente e encontrasse algo que você gostaria de mudar em sua vida. Aquela mudança que você julga essencial para você, acima de qualquer outra coisa. Não pense em algo que os outros querem que você mude, mas uma mudança que seja essencial para sua vida. Talvez, você queira mais confiança, mais sucesso, mais disposição... Não importa o que seja. O importante é manter esse desejo vivo em sua mente. No momento em que você já tiver esse desejo em sua mente, simplesmente consinta com sua cabeça.

[Aguarde todos os sujeitos consentirem com a cabeça.]

Muito bem. Agora, quero que você mantenha esse desejo na sua mente e lhe dê vida. Para isso, respire profunda e lentamente. Enquanto inspira, esse pensamento vai ficando cada vez mais vivo em sua mente.

[Acompanhe a inspiração e continue:]

Agora, expire lentamente. Enquanto expira, você dá vida e energia para esse pensamento. Estamos ancorando um estado muito bom agora. Sempre que inspirar e expirar profundamente, você se lembrará do seu desejo e se sentirá ainda melhor. Daqui a instantes, farei a contagem de cinco até um. Ao chegar no número um, você abrirá os olhos, sentindo-se muito bem e ouvindo os aplausos da plateia. Afinal, vocês foram as verdadeiras estrelas do espetáculo. Quanto mais você ouvir as palmas, mais você tornará aquele desejo ainda mais forte e se sentirá ainda melhor. Ao falar o número um, apenas quando eu falar o número um, você abrirá os olhos, mas se lembrará dessa última sugestão. Cinco... Quatro... Três... Dois... Um... Bem despertos, bem acordados.

[Incentive os aplausos da plateia.]

Sugestão pós-hipnótica terapêutica

Qualquer sugestão pós-hipnótica cujo objetivo seja beneficiar diretamente a vida do cliente pode ser considerada terapêutica. No entanto, isso não significa que ela está restrita ao ambiente clínico. Por exemplo, durante a realização de um espetáculo de hipnose, antes de iniciar o processo de despertar, você pode fazer alguma sugestão pós-hipnótica terapêutica para o indivíduo. Por exemplo, você poderia dizer: "Você abrirá seus olhos e se sentirá muito bem e relaxado". Milton H. Erickson costumava dizer que o transe é um estado terapêutico. Dessa maneira, não faz sentido simplesmente "desperdiçar" esse estado sem beneficiar o sujeito de alguma forma.

As sugestões pós-hipnóticas terapêuticas são variadas. Por exemplo: suponha que seu cliente tenha compulsão por comer e você deseja lhe sugerir que beba um copo d'água toda vez que ele desejar comer algo que fuja da sua dieta. Nesse caso, você poderia dizer o seguinte: "Sempre que você escolher beber água para satisfazer o seu desejo de comer algo fora de sua dieta, você ficará muito satisfeito, tanto física quanto mentalmente".

Despertar[65]

O processo de despertar é um dos mais importantes entre todas as etapas do processo hipnótico. Existe um mito de que, se você não despertar os sujeitos, eles permanecerão para sempre sob seu controle. Na verdade, se você não os acordar, eles sairão sozinhos do transe. No entanto, nesse caso, existe o risco de os sujeitos sentirem-se um pouco desorientados. Além disso, alguns entram facilmente em estágios de transe muito profundos. Se você despertar esses sujeitos rapidamente, eles podem ter dores de cabeça ou outras reações adversas. Em um contexto clínico, se o hipnotista não despertar corretamente seus clientes, ele romperá completamente o *rapport*, prejudicando enormemente as próximas sessões terapêuticas.

Para despertar o sujeito, basta empregar a mesma rotina do aprofundamento, mas de forma inversa. Caso você tenha utilizado a rotina da escada rolante para o aprofundamento, deverá conduzir o sujeito para essa mesma escada, sugerindo o caminho oposto. Veja um exemplo:

> Então, chegou a hora de voltarmos. E você volta para a escada que o levou até esse lugar. Agora, os degraus estão subindo... Calmamente, você sobe em um desses degraus. Enquanto observa os degraus subindo, você se sente mais e mais desperto... Mais e mais desperto... Quanto mais os degraus sobem, mais desperto você se sente... Sentindo-se cada vez melhor... Um sentimento de paz e serenidade toma conta de você,

65 Ainda que a hipnose e o sono sejam fenômenos completamente distintos, utilizarei os termos "acordar" e "despertar" como sinônimos do processo de "de-hipnotização". Faço isso para facilitar a comunicação com o sujeito.

> enquanto você, em seu tempo, vai despertando desse estado. Observe os degraus subindo... Bem lentamente. Agora, enquanto você aproveita esse momento de calma e tranquilidade, vou ajudá-lo a despertar desse estado. Farei uma contagem de um até três. A cada número, você respirará profundamente... e... ficará ainda mais desperto...

Além de utilizar a rotina de aprofundamento de forma invertida, é essencial que você seja coerente com cada detalhe durante o aprofundamento. Por exemplo, se você realizou um aprofundamento com uma contagem de 1 até 10, deverá fazer a mesma contagem, mas na ordem inversa. Imagine que você tenha sugerido o relaxamento completo de cada músculo do corpo do sujeito. Então, você deve realizar o caminho inverso, despertando cada área anteriormente relaxada.

Cada pessoa leva um tempo específico para despertar. Muitas vezes, você irá sugerir para elas, aos poucos, moverem os membros, abrirem os olhos... mas pode ser que elas ainda não se sintam prontas para isso. Nesse caso, o ideal é você acrescentar elementos que tragam conforto para o processo. Suponha, por exemplo, que você tenha sugerido para o sujeito abrir os olhos, mas ele ainda não abriu. Nesse caso, você poderia dizer: "Você pode abrir seus olhos no seu tempo... Quando for a hora certa...".

5. Auto-hipnose

"O que é real? Como você define o 'real'? Se você está falando sobre o que você pode sentir, o que você pode cheirar, o que você pode saborear e ver, o real são simplesmente sinais elétricos interpretados pelo seu cérebro."

– Morpheus, personagem do filme *Matrix*

Introdução

Durante a Segunda Guerra Mundial, o cirurgião norte-americano Henry Beecher percebeu que havia acabado a morfina para aplicar nos soldados feridos – situação corriqueira durante aquele período. Ao constatar a falta do anestésico, o médico entrou em desespero: precisava realizar imediatamente uma cirurgia em um soldado gravemente ferido e que provavelmente não sobreviveria sem o uso do medicamento. No entanto, o que aconteceria a seguir mudaria para sempre a medicina. Como diz o ditado: "Situações desesperadas pedem medidas desesperadas". Sem perder o ritmo, uma das enfermeiras encheu a seringa com uma solução salina (apenas água e sal) e injetou no soldado, como se estivesse realmente aplicando a morfina. Após a injeção, o doutor Beecher realizou o procedimento completo, sem utilizar qualquer outro tipo de anestésico. Curiosamente, o soldado praticamente não sentiu dor; ou seja, teve fisiologicamente os mesmos efeitos que teria se tivesse injetado a morfina em seu corpo. Esse caso intrigou o médico e o fez se questionar: "Como isso poderia acontecer? Como uma solução salgada poderia ter o mesmo efeito da fortíssima morfina?".

Após o sucesso do procedimento, sempre que o hospital de campanha ficava sem o medicamento, o doutor Beecher repetia o mesmo procedimento: injetava a solução salina como se estivesse realmente injetando morfina. Essas experiências foram tão impressionantes que, ao final da guerra, no retorno aos EUA, o médico decidiu estudar ainda mais sobre o poder do placebo.[66]

Em 1955, o doutor Beecher entrou para a história da medicina ao publicar um artigo científico que analisava quinze casos clínicos envolvendo o placebo

66 A palavra "placebo" deriva do latim, do verbo *placere*, que significa "agradar". Ela se refere ao efeito curativo decorrente do uso de uma substância neutra em vez do medicamento farmacológico.

e sua importância para a medicina. Após a publicação do artigo, as pesquisas científicas mudaram completamente, começando a controlar o efeito placebo na eficácia dos novos fármacos a serem lançados no mercado laboratorial.

Com o passar dos anos, várias outras pesquisas foram realizadas, confirmando o poder que o placebo possui em relação ao nosso corpo. No entanto, além de essas pesquisas confirmarem o poder curativo do efeito placebo, descobriu-se também que a sugestão poderia infligir dano às pessoas.

Em 2007, algo bem estranho estava acontecendo na Nova Zelândia. No outono daquele ano, as farmácias de todo o país tinham começado a distribuir uma nova fórmula para o medicamento Eltroxin – a única droga de reposição hormonal da tireoide aprovada e paga pelo governo, usada por dezenas de milhares de neozelandeses desde 1973. Em poucos meses, começaram a chegar ao governo alguns relatórios envolvendo os efeitos colaterais para o uso do medicamento. Alguns desses efeitos já eram conhecidos previamente, tais como letargia, dor nas articulações e depressão. No entanto, surgiram outros efeitos que nunca haviam sido relatados, como dor nos olhos, coceira e náuseas. E o pior ainda estava por vir: nos dezoito meses seguintes ao lançamento dos novos comprimidos, os relatos de reações adversas ao medicamento cresceram de apenas 14, em 30 anos, para o impressionante número de 1.400 em apenas 18 meses. Após esse aumento, surgiu um movimento da mídia exigindo que voltassem à antiga fórmula do medicamento.

O curioso é que o princípio ativo da droga, a tiroxina, era exatamente o mesmo. Posteriormente, foram realizados testes laboratoriais que comprovaram que a nova formulação do remédio era biologicamente equivalente à anterior. A única mudança foi que a indústria farmacêutica responsável por sua fabricação, a GlaxoSmithKline, havia transferido a fabricação do remédio do Canadá para a Alemanha. Devido a essa mudança, qualidades inertes do medicamento foram alteradas: forma, cor e marcas no exterior. Oras, por que então as pessoas estariam ficando doentes? Em junho, após o lançamento da nova fórmula, todos os jornais e estações de TV começaram a atribuir quaisquer efeitos adversos da droga à mudança na formulação. Devido à exposição midiática, cada vez mais pacientes relatavam os efeitos adversos. Coincidentemente, as áreas da Nova Zelândia com maior cobertura da mídia apresentaram as maiores taxas de efeitos nocivos relatados, sugerindo que, talvez, um pouco de persuasão e conformidade social estavam em jogo, ainda que os pacientes não estivessem fingindo seus sintomas. As sensações adversas eram reais, mas, na maior parte dos casos, não podiam ser atribuídas a propriedades farmacológicas da droga. Na verdade, esses pacientes foram vítimas do efeito nocebo.[67]

Os efeitos negativos decorrentes do poder da sugestão foram descobertos em pesquisas que buscavam compreender as mortes decorrentes de maldições e vodus. Entre os nativos da América do Sul, África, Austrália, Nova Zelândia, das ilhas do Pacífico e do Haiti, era comum um fenômeno a que foi atribuído o nome de "morte vodu" – pessoas que acreditavam muito fortemente no poder da feitiçaria e que, de forma repentina, adoeciam e morriam, sem qualquer causa aparente.

Esse curioso fenômeno foi investigado pelo fisiologista Walter Bradford Cannon. Em sua pesquisa, ele examinou uma série de relatos dos nativos dessas regiões e fez algumas descobertas muito interessantes. Uma delas foi a de que a crença da vítima no poder da própria maldição para matá-la era apenas um dos elementos que provocariam sua morte. Além da crença, outro elemento determinante para o óbito era o isolamento social a que essas pessoas amaldiçoadas eram submetidas. Rapidamente, elas se tornavam quase zumbis.

Obviamente, os efeitos prejudiciais decorrentes da sugestão não se restringem ao vodu e às magias negras. Como visto no caso dos medicamentos da Nova Zelândia, o efeito nocebo também surge nas pesquisas envolvendo medicamentos. Ao tomarem o placebo, alguns sujeitos são alertados por seus médicos dos supostos efeitos colaterais do remédio. Apenas por ouvirem as possibilidades, eles acabam sentindo todos ou alguns desses efeitos. Aliás, a mente humana é tão poderosa que até mesmo os pacientes que simplesmente imaginam que terão os efeitos colaterais decorrentes do tratamento acabam sentindo-os.

Ainda que existam limitações éticas para a investigação do efeito nocebo, ele tem sido investigado continuamente pela ciência. Uma das primeiras pesquisas a investigar esse fenômeno aconteceu no Japão, em 1962. Nessa pesquisa, foi investigado o efeito nocebo em um grupo de crianças altamente alérgicas a um tipo de hera venenosa. Essas crianças foram divididas em dois grupos. No primeiro, os pesquisadores abordaram as crianças e falaram que esfregariam em seu braço a planta à qual elas tinham alergia, porém, esfregaram apenas uma planta inofensiva. Todas elas desenvolveram uma erupção na pele no local em que a folha inofensiva foi esfregada.

---

67 O termo "nocebo" foi criado em 1961, por Walter Kennedy, para identificar o efeito contrário ao efeito placebo: uma substância inerte que produz um efeito prejudicial, simplesmente porque alguém acredita que ela lhe fará mal.

No segundo grupo, foi dito às crianças que os cientistas esfregariam em seu braço uma folha inofensiva. No entanto, dessa vez, esfregaram a planta que realmente provocava a alergia na pele das crianças. Dentre as 13 crianças que tiveram de fato contato com o veneno, 11 não tiveram qualquer reação alérgica.

Esses resultados são surpreendentes. Não apenas pelo fato de a sugestão conseguir eliminar a reação alérgica na maior parte das crianças expostas ao veneno, mas principalmente porque aquelas que tiveram exposição à planta que era inofensiva tiveram reações alérgicas. Em ambos os casos, o corpo das crianças respondeu muito bem à nova programação de suas mentes. Ou seja, as crianças foram capazes de alterar e controlar a fisiologia de seu corpo simplesmente mudando um pensamento.

Em 1968, pesquisadores realizaram outro experimento interessante envolvendo o efeito nocebo. Nesse caso, os pesquisadores deram a 40 pacientes asmáticos inaladores contendo apenas vapor de água. No entanto, foi explicado aos pacientes que os inaladores continham algum tipo de alérgeno ou irritante. Após a inalação do vapor de água, 48% dos pacientes apresentaram algum sintoma asmático, como a restrição das vias áreas e 12% foi acometido por uma crise asmática fortíssima. Em seguida, os pesquisadores ofereceram aos sujeitos alguns inaladores supostamente contendo medicamentos para aliviar esses sintomas. Mais uma vez, esses inaladores eram apenas vapor de água.

O que ocorreu, nesse caso, foi que os efeitos nocebo e placebo aconteceram em sequência. O simples fato de pensarem que haviam inalado algo prejudicial foi suficiente para desencadear efeitos negativos em 70% dos sujeitos. Por outro lado, bastou a sugestão envolvendo a inalação de um remédio para que tais efeitos fossem removidos.

Poderíamos dizer que os pensamentos dos pacientes criaram uma realidade totalmente nova. O mesmo acontece conosco todos os dias. Por exemplo, já foi provado que sair na chuva sem proteção, tomar sorvete no inverno ou até mesmo "pegar friagem" não é suficiente para nos resfriarmos. No entanto, algumas pessoas sempre desenvolvem o resfriado pela mínima exposição ao frio. Nessas situações, o efeito da sugestão altera nossa fisiologia.

O maior efeito das sugestões não está no resfriado ou na gripe. Na verdade, seu maior efeito se encontra nas profecias autorrealizáveis que, a cada dia, inserimos em nossa mente. Como seria possível nos livrarmos disso?

Várias décadas se passaram, e a ciência apenas confirmou aquilo que as práticas religiosas já sabiam há milênios: a fé é capaz de curar. Observe que não é objetivo deste livro questionar a existência ou não de milagres inexplicáveis causados por alguma entidade superior, mas somente identificar o quanto nossa mente é responsável por grande parte daquilo que somos.

Até agora, você aprendeu como hipnotizar outras pessoas. Agora, você aprenderá a hipnotizar a pessoa mais importante da sua vida: você mesmo. Prepare-se para uma jornada em direção à melhor versão de si mesmo. Neste capítulo, você aprenderá os segredos para reprogramar sua mente e, consequentemente, alterar sua realidade.

O mapa não é o território

A maioria das pessoas simplesmente observa o passar dos dias. Apesar de reclamarem com frequência da vida que levam, observam a velocidade com que o tempo flui, nutrindo a esperança de que algo mágico aconteça e traga suas vidas de volta "aos eixos". Em seus raros momentos de reflexão, essas pessoas se limitam a tentar imaginar o instante em que as coisas deram errado: quando aquela criança cheia de sonhos e potencialidades deixou de existir e tornou-se alguém triste e que, a cada momento, apenas anseia a chegada de cada final de semana ou feriado?

Muitas querem mudar, mas simplesmente desistem em decorrência das barreiras impostas pela realidade. Oras, mas o que é a realidade? Se considerarmos a realidade como aquilo que percebemos por meio de nossos sentidos, ela é apenas a forma como nosso cérebro interpreta o mundo ao nosso redor.

Provavelmente, existe uma realidade externa a todos nós. No entanto, os seres humanos não operam diretamente no mundo exterior. Nossa interação com a realidade é realizada por nossos sentidos e interpretada por nosso cérebro por meio de algo conhecido como "restrições individuais". Essas restrições são criadas por meio de nossa história de vida: nossas relações familiares, amizades, vitórias, derrotas, entre outras. Todos esses elementos constituem uma experiência única, como uma impressão digital. Cada um de nós cria uma representação do mundo em que vive, como um mapa. Esse mapa se torna o grande responsável não apenas por nossos comportamentos, mas também pela forma como reagimos às várias situações do cotidiano.

A princípio, cada um de nós vive em um mundo completamente diferente, apesar de isso soar estranho. Cada um de nós possui um mapa completamente diferente sobre a realidade externa. Algumas pessoas têm, em seus mapas, diversas crenças limitantes: "você não nasceu para isso", "você precisa ter os pés no chão", entre outras. O grande problema dessas crenças é que elas podem se tornar tão reais a ponto de você simplesmente não saber que é possível ir além. Além disso, todas essas crenças limitantes acabam por obrigá-lo a viver uma vida incongruente com seus valores e princípios, forçando-o a viver uma vida que não é sua e como se existisse um estranho guiando todo seu comportamento e suas emoções.

Ao longo deste livro, você aprenderá também como expandir sua consciência e reprogramar sua mente, não apenas para livrar-se de todas essas crenças, mas também para acessar sua verdadeira essência.

As duas partes da sua mente

Quando você pensa sobre si mesmo, é possível que direcione seus pensamentos para sua mente consciente: a única parte da mente à qual tem pleno acesso. Sua consciência é aquilo que você chama de "eu". Além disso, pode ter a impressão de que essa mente consciente é a responsável por todas as suas decisões. No entanto, ela é responsável por uma fração irrisória de todas as suas decisões ao longo do dia. Essa parte consciente é regida por outra muito mais poderosa: seu inconsciente. Ainda que tenhamos livre-arbítrio, ele sempre vai agir em consonância com nossa vontade inconsciente.

Imagine um alcoólatra. Conscientemente, ele pode querer interromper o vício. É provável que lamente ver a maneira como seu vício progressivamente destrói sua família e sua carreira. No entanto, ele vai continuar bebendo, apesar de seu desejo consciente de parar. Algo similar acontece com alguém que, por algum motivo, deseja perder peso. Por mais que essa pessoa saiba dos benefícios que uma alimentação balanceada e o combate ao sedentarismo podem trazer, isso não é suficiente.

Embora nossa mente consciente tenha a capacidade de raciocinar e decidir as ações que julga mais vantajosas, ela não pode implementar sua decisão sem a permissão do inconsciente. Toda vez que nosso consciente toma decisões que não são aprovadas pelo inconsciente, elas podem até durar um ou dois dias. No entanto, cedo ou tarde, o inconsciente falará mais alto e colocará tudo a perder. A vitória do consciente sobre o inconsciente não é uma ação possível. Essa é uma luta que você sempre irá perder.

Nossa mente inconsciente age da maneira que foi programada para agir, exatamente como um computador. E algumas dessas programações são "de fábrica", ou seja, nascemos com elas. Por exemplo, qual é nossa reação quando somos atacados? Em situações de perigo, instintivamente reagimos, fugimos ou ficamos paralisados.

No entanto, a maior parte da programação acontece após nosso nascimento, quando somos ainda muito pequenos. Infelizmente, nesse período, ainda não temos idade suficiente para distinguir entre as ideias úteis ou as prejudiciais para o bem-estar. Por exemplo, se uma criança escuta da sua mãe: "Você não serve para nada", "você é muito burra!" ou "você não faz nada direito", ela pode se tornar um fracasso quando adulta. Como a mente consciente da criança não está plenamente desenvolvida para censurar essa ideia negativa, seu inconsciente aceita esse pensamento e estabelece a crença limitante de que ela não é capaz de fazer as coisas direito.

Quando adultos, nosso consciente desenvolve uma defesa em relação às ideias direcionadas ao inconsciente: a chamada faculdade crítica, cuja função é avaliar e comparar cada nova ideia com aquelas que foram previamente aceitas e determinar sua veracidade antes de permitir que sejam instaladas em nossa mente inconsciente. Mas, quando somos crianças, não possuímos ainda essa faculdade. Então nosso inconsciente aceita como verdade absoluta qualquer ideia que chegue até ele. Após acessar essas ideias, elas se tornam verdades absolutas para a mente inconsciente, tornando-se parte integrante de nosso sistema de crenças e interferindo diretamente em nosso comportamento.

Como muitas das ideias que aceitamos no início de nossa vida são falsas e várias das ideias posteriores vão se basear nessas falsas crenças, nossa mente é inundada por meias verdades, medos irreais e preconceitos irracionais que acumulamos por vários anos.

Voltemos ao caso da criança que escuta da sua mãe: "Você não serve para nada". Ao atingir a idade adulta, provavelmente a mente consciente dela mudará de opinião e com certeza identificará aquela crença como uma bobagem. No entanto, após uma ideia ter sido plantada em nosso inconsciente, ainda que muitas décadas atrás, o consciente terá muita dificuldade em alterá-la. Nesse caso, é como se o consciente e o inconsciente fossem partes completamente distintas, mas o inconsciente será dominante. Assim, ainda que nossa mente consciente discorde, o inconsciente continuará dominando.

Assim, não é difícil perceber que aprender a reprogramar nossa mente inconsciente é o primeiro passo em direção a uma vida realizada. Quando conseguimos atingir esse objetivo, podemos conscientemente dirigir nossa energia para as atividades que de fato desejamos, como saúde, felicidade e sucesso financeiro. Se você aprender a reprogramar sua mente, você poderá ser a pessoa que sempre desejou ser.

Nós sempre iremos nos comportar de acordo com as crenças do inconsciente. Para reprogramar nossa mente inconsciente, é preciso que, de alguma forma, consigamos inibir nossa faculdade crítica temporariamente, a fim de interromper nosso pensamento consciente e permitir que as crenças instaladas no consciente sejam substituídas por crenças verdadeiras e mais saudáveis. A hipnose permite que isso seja feito. Na hipnose, nós inibimos a mente consciente, permitindo que as sugestões positivas se direcionem diretamente para o inconsciente, sem permitir qualquer censura da faculdade crítica.

Estados alterados da consciência

O segredo por trás da reprogramação de sua mente começa pelos estados alterados da consciência. Esses estados são caracterizados por uma diminuição na frequência das ondas cerebrais. Quando estamos acordados e ativos, temos uma maior frequência de ondas cerebrais do tipo Beta, entre 13 e 30 hertz. Quando relaxamos nossa mente, essas frequências podem diminuir, até atingir o sono profundo (estado Delta, abaixo de 4 hertz).

No entanto, antes de atingir o relaxamento do sono profundo, o cérebro passa pelos estados Alfa (8 a 13 hertz) e Teta (4 a 8 hertz). Existem basicamente duas maneiras de se atingir esses estados:

- Ser hipnotizado.
- Usar algum processo que envolva estados alterados de consciência: auto-hipnose, meditação, entre outros.

No dia a dia, o simples rebaixamento dessas frequências já é capaz de promover ganhos incríveis na saúde, além de ser o estado ideal para o rebaixamento da faculdade crítica e a reprogramação mental (ou seja, a alteração de seus próprios mapas de percepção da realidade).

A essa reprogramação damos o nome de autossugestão: o processo de sugerir metas a si mesmo, durante o estado alterado de consciência, com o objetivo de alterar hábitos, fortalecer virtudes e eliminar vícios. Após o processo, mesmo estando bem desperto no estado de vigília, essas sugestões funcionam de forma subconsciente, mesmo que a consciência não se dê conta disso.

As cinco formas para reprogramar sua mente

Em seu famoso livro *Self-hypnosis and other mind-expanding techniques*, lançado no final dos anos 1980, o hipnoterapeuta Charles Tebbetts listou as formas pelas quais nossa mente é mais constantemente reprogramada. Como você verá a seguir, muitas dessas programações são compatíveis com as pesquisas científicas em psicologia.

Repetição

A repetição é certamente a mãe da aprendizagem. Ainda que a repetição isoladamente seja uma maneira lenta e difícil para reprogramar o inconsciente, ela funciona muito bem quando aliada a outros princípios que se seguirão.

Identificação com grupos

Um dos primeiros estudos sobre a identificação com grupos ocorreu em um lugar pouco provável para um estudo de psicologia social: o parque estadual Robbers Cave, localizado nos Estados Unidos, no estado de Oklahoma. No verão de 1954, chegou a um acampamento de 200 hectares, localizado em uma área densamente arborizada do parque, um pequeno grupo de meninos de 11 anos de idade, todos eram da mesma etnia e estrato social, e não se conheciam previamente. Na primeira semana, o grupo de meninos realizou várias atividades coletivamente no parque, entre elas deram um nome para o grupo e os escreveram em seus bonés e camisetas: *Eagles* ("águias", em português).

Inicialmente, os *Eagles* achavam que eram o único grupo do acampamento. No entanto, após a primeira semana de atividades, eles foram apresentados a outro grupo, que também havia sido formado no mesmo dia dos *Eagles*, mas com o qual eles não tiveram contato: os *Rattlers* ("serpentes", em português).

O que os meninos não sabiam era que eles eram participantes de um estudo elaborado e conduzido pelo psicólogo Muzafer Sherif. Os pais haviam dado permissão para seus filhos participarem de um experimento que tinha o objetivo de estudar a competitividade e a cooperação entre grupos. Os garotos selecionados para o estudo não tinham qualquer histórico de agressividade e eram muito saudáveis mentalmente. Os dois grupos, então, foram levados ao acampamento separadamente e, somente após cada um adquirir sua cultura e hábitos próprios, foram apresentados um para o outro. Agora, os Rattlers e os Eagles estavam prontos para se conhecer. O encontro ocorreu em meio a circunstâncias muito tensas: competições de futebol, caça ao tesouro, cabo de guerra, entre outras atividades. Para cada evento, a equipe vencedora recebia pontos e, ao vencedor do torneio, foram prometidos troféus e medalhas.

Da noite para o dia, os dois grupos se tornaram inimigos e sua rivalidade se transformou em uma verdadeira guerra: bandeiras dos grupos rivais foram queimadas, dormitórios foram saqueados, entre outras hostilidades. Com o objetivo de tentar integrar os dois grupos, os pesquisadores tiveram a ideia de que as refeições fossem realizadas coletivamente. O resultado dessa iniciativa? Guerra de comida.

Criar hostilidade por meio da competição é algo fácil. No entanto, restaurar a paz não é uma das tarefas mais simples. As tentativas foram inúmeras, porém a maioria delas fracassou: refeições com os grupos integrados, sessões de cinema, diálogo com os líderes e até mesmo o sermão de um líder religioso, mas nada parecia funcionar.

Ainda que várias dessas tentativas tenham sido infrutíferas, a resposta já havia sido dada pelo filósofo Thomas Hobbes:

> Assim, nunca um grande Estado popular se conservou, a não ser graças a um inimigo exterior que uniu seu povo, ou graças à reputação de algum homem eminente em seu seio, ou ao conselho secreto de uns poucos, ou ao medo recíproco de duas facções equivalentes, mas nunca graças à consulta aberta da assembleia. (HOBBES, 2004, p. 90)

Provavelmente inspirados em Thomas Hobbes, os pesquisadores tiveram uma ideia: criar inimigos externos aos dois grupos. O primeiro deles foi a falta de água no acampamento. Os pesquisadores disseram para as crianças que vândalos teriam estragado a estrutura de abastecimento de água do acampamento. Dessa maneira, os meninos teriam que arrumar uma solução para conseguir água novamente.

Trabalhando juntos, encontraram uma torneira velha, cuja água era proveniente de uma fonte de água do parque. Os grupos trabalharam juntos para conseguir abrir e limpar a torneira, além de levar água para o acampamento.

O segundo inimigo comum criado foi uma caminhonete quebrada no acampamento. Propositalmente, os pesquisadores falaram aos garotos dos dois grupos que a caminhonete estava quebrada e que eles precisariam empurrá-la até uma colina íngreme.

A partir daí, os pesquisadores passaram a buscar outros desafios (chamados pelos pesquisadores de *superordinate goals*, ou seja, metas superiores, em português). Funcionou tão bem para a integração dos grupos que, ao final do acampamento, os grupos haviam se tornado tão amigos que insistiram em viajar de volta para casa no mesmo ônibus.

Em apenas três semanas, os Eagles e os Rattlers experimentaram os tipos de mudanças que são vistas todos os dias em escala mundial, seja na TV, seja nos noticiários e que demorariam décadas ou até mesmo séculos para acontecer: a formação de um grupo com muita identificação cultural, a guerra entre esse grupo e outros e, finalmente, o surgimento da paz.

O grupo exerce forte influência nos valores contidos em nossa mente inconsciente. Devido à competição entre os dois grupos, em pouquíssimo tempo, os valores e atitudes dos meninos mudaram significativamente. Não é novidade o quanto o meio social influencia as crenças e os valores não apenas dos jovens, mas de qualquer ser humano – para o bem ou para o mal.

Grupos também favorecem mudanças positivas na programação de nosso inconsciente e, consequentemente, em nosso comportamento. Uma grande prova disso é a força terapêutica que possuem alguns grupos de ajuda, como os Alcoólicos Anônimos, Narcóticos Anônimos, Mulheres que Amam Demais Anônimas, entre outros.

Ideias apresentadas por figuras de autoridade

Ideias apresentadas por figuras de autoridade são muitas vezes aceitas como verdades absolutas pelo nosso inconsciente. Alguém em quem confiamos e admiramos muito talvez possa mudar nossas crenças inconscientes. É mais provável que um fumante pare de fumar diante de uma recomendação de um médico (uma figura de autoridade) do que devido a alguma recomendação familiar.

Em psicologia, estudamos um fenômeno social estreitamente ligado à hipnose: a conformidade. Chamamos de conformidade a mudança de nossos comportamentos ou crenças em razão da pressão social de algum grupo. Ela pode ser de dois tipos: pública (quando, devido à pressão social, as pessoas alteram seu comportamento, mas sem alterar seu sistema de crenças) ou privada (quando, devido à pressão social, os sujeitos alteram não apenas seu comportamento, mas também suas crenças).

A conformidade privada atua diretamente no inconsciente. Ainda que a autoridade possa ter papel determinante no surgimento desse fenômeno, também é preciso que a nova crença seja compatível com os valores conscientes e inconscientes do sujeito. Por exemplo, suponha que alguém acredite que se vacinar contra doenças é uma bobagem. Nesse caso, o contato com um especialista poderia alterar essa crença, já que a saúde do sujeito seria algo que ele valorizaria e a figura do médico é uma figura de autoridade no assunto.

Emoções intensas

As emoções são um dos caminhos mais rápidos para acessar nossa mente inconsciente. Se uma criança é atacada por um cachorro, ela pode temer cães pelo resto da vida. Muitas vezes, ainda que a mente consciente identifique que, em determinadas situações, esse temor é completamente irracional.

Por outro lado, as emoções também podem reprogramar nossa mente de uma forma positiva. Por exemplo, alguém que está deprimido pode se livrar desse estado ao descobrir uma nova paixão, seja ela um passatempo ou uma pessoa. Além disso, as emoções possuem papel determinante em nosso processo de aprendizagem. Provavelmente, você já percebeu o quanto é fácil aprender assuntos que lhe envolvam emocionalmente e o quanto é difícil aprender assuntos que simplesmente não despertam qualquer interesse.

Auto-hipnose

Imagine ter a capacidade de se sentir bem sempre que você quiser e ser capaz de acalmar seus nervos quando todos ao seu redor estão tensos e em pânico. Imagine, ainda, como seria bom poder controlar a dor. Na auto-hipnose, você fará a sua própria indução e aprofundamento hipnóticos, tornando sua mente extremamente receptiva às sugestões que você criará para si mesmo.

Antes de continuarmos, é importante que você entenda que não existe uma concorrência entre hipnose e auto-hipnose. Às vezes, temos questões pessoais que dificilmente seriam resolvidas sem o apoio profissional de um psicoterapeuta.[68] No entanto, em outros momentos, talvez o terapeuta não fosse tão necessário. A auto-hipnose é recomendada para situações que envolvam autocontrole. Por exemplo, se você deseja emagrecer ou pretende diminuir a ansiedade para falar em público, a auto-hipnose é uma ferramenta adequada.

68 É importante ressaltar que, ainda nesses casos, a auto-hipnose pode ajudar na manutenção dos ganhos obtidos nas sessões de terapia.

Além disso, muitas vezes, precisamos de autocontrole em situações que envolvam estresse, como uma batida de carro ou uma discussão com o chefe. Nesses casos, mais uma vez, a auto-hipnose será a melhor ferramenta. Você verá como é gratificante poder controlar ainda mais seu próprio corpo.

As origens

Após conhecer a hipnose, soa inevitável considerar a possibilidade de hipnotizar a si mesmo. James Braid parece ter sido o primeiro a utilizar a auto-hipnose com sucesso com o fim de aliviar a dor. O método de indução hipnótica de Braid era a fixação e o cansaço ocular, como bem explica Karl Weissmann:

> *Por sua vez, Braid, ao menos no princípio de sua carreira, costumava vencer o paciente pelo cansaço ocular. Era o método de fascinação prolongada. À maneira da maioria dos nossos contemporâneos, hipnotizava pelo olhar. Enquanto o sujeito cansava o nervo ótico, a ponto de congestionar os olhos, lacrimejar e sentir dor de cabeça, Braid recomendava que concentrasse sua mente na ideia do sono. Braid mudou de tática já quase no fim de sua carreira, quando descobriu que podia hipnotizar cegos ou pessoas em recintos completamente escuros. Percebeu que o importante não era o cansaço visual ou a concentração ocular, mas, sim, a concentração mental. Dessa observação em diante, passou a dar maior importância ao fator imaginação, em relação ao qual ressaltava a preponderância da sugestão verbal e a do detalhe da voz.*[69]

Braid utilizava a fixação ocular em algum objeto brilhante, como uma vela, para a autoindução. Ainda que ele tenha sido o primeiro a utilizar a auto-hipnose para aliviar a dor, não está claro quem foi o primeiro a empregá-la como autossugestão para outros fins. Segundo o hipnotista Andre M. Weitzenhoffer, as primeiras menções à autossugestão foram encontradas na França, no início do século XX. O interesse popular na produção e utilização de auto-hipnose parece ter permanecido em suspenso até o início do movimento da Nova Era.

Ainda que a prática da auto-hipnose tenha surgido em um contexto repleto de alegações ingênuas e pseudocientíficas, os benefícios de sua prática são reais e sua prática deve ser sempre estimulada. Costumamos dividir a auto-hipnose em dois grandes grupos: a verdadeira auto-hipnose e a pseudoauto-hipnose. A

69 Trecho adaptado de WEISSMAN, K., 1958.

verdadeira auto-hipnose é um processo de autoindução e autossugestões. Por outro lado, a pseudoauto-hipnose é aquela em que o sujeito utiliza algum processo de indução previamente gravado para realizar a auto-hipnose. Ainda que nesse método não exista nenhum hipnotizador fisicamente presente, há a voz. Não é fácil distinguir entre a pseudoauto-hipnose e as formas de indução hipnóticas realizadas por terceiros, ainda que o sujeito faça e utilize suas próprias gravações.

No entanto, independentemente dos métodos utilizados, você terá muitos benefícios pela prática das técnicas.

A preparação

Local e posição

Inicialmente, o ideal é realizar a sessão de auto-hipnose em um local bem calmo. Com a prática, é possível exercê-la em qualquer lugar. No entanto, no início do treinamento, qualquer barulho externo pode atrapalhar bastante o exercício. Algumas pessoas preferem utilizar músicas para realizar o processo e, se você for uma dessas pessoas, utilize algumas das sugestões musicais listadas no capítulo 2.

Uma das posições mais recomendadas para a auto-hipnose é a posição de cocheiro, em que o sujeito senta em uma cadeira, mantendo as pernas levemente arqueadas e os braços descansando sobre elas, conforme a figura abaixo.

[70]

70 Imagem extraída do livro *Auto-hipnose:* manual do usuário, de Fábio Puentes. Editora Canaun, 2001.

Ainda que a posição de cocheiro seja a mais recomendada, nada impede que você escolha outra posição igualmente confortável. Lembre-se apenas de um detalhe: você provavelmente ficará vários minutos nessa mesma posição. Dessa maneira, se for uma posição minimamente desconfortável durante o início do processo, com o passar do tempo, ficará cada vez mais incômoda, o que impossibilitará por completo o procedimento.

Auto-hipnose verdadeira

Na auto-hipnose verdadeira, você será o hipnotista e o sujeito ao mesmo tempo. Para realizar a auto-hipnose verdadeira, você pode utilizar qualquer indução ensinada anteriormente. O ideal é começar pela prática dos exercícios com mais elementos fisiológicos, como as pseudo-hipnoses. Comece pelos dedos magnéticos, já que é uma das rotinas que contêm mais elementos fisiológicos.

Em seguida, você pode praticar com o pêndulo de Chevreul. Para isso, basta segurar o pêndulo e pensar constantemente no movimento desejado. Aja como se tivesse poderes telecinéticos e fosse realmente capaz de mover o pêndulo apenas com a sua mente (se você realmente acreditar na existência desses poderes, o movimento ideomotor será acionado e o pêndulo será movido). Algumas pessoas associam essa prática a comandos verbais: você pode falar em voz alta os mesmos comandos que falaria ao induzir alguém ao transe. Depois de conseguir movimento desejado, dispense algum tempo explorando as potencialidades do exercício. Você pode alterar abruptamente o movimento do pêndulo ou até mesmo pará-lo – supostamente – com o seu pensamento.

Após exercitar-se com o pêndulo, busque exercícios com um pouco menos de elementos fisiológicos, como a rotina das mãos magnéticas. Você pode usar o mesmo roteiro descrito anteriormente, alterando apenas os pronomes pessoais. Veja um exemplo de como podem ser feitos os comandos:

> Farei uma contagem de 1 a 5. A cada número que eu contar, a atração entre as minhas mãos será multiplicada por dez.
>
> 1... Minhas mãos se atraem muito mais e estão cada vez mais próximas.
> 2... A atração é ainda mais forte e elas estão cada vez mais próximas, atraindo-se mais e mais.
> 3... A atração está cada vez mais forte. *Cada vez mais forte...*

4... A atração entre elas está ainda maior. A força que o ímã de cada mão faz é muito forte. Sinto a atração entre as minhas mãos. Elas vão se aproximando, vão se aproximando, cada vez mais.
5... Minhas mãos vão se aproximando, até que elas vão se encontrar e eu vou ficar cada vez mais relaxado...

Com certa prática, as suas mãos se encontrarão cada vez mais rapidamente. Em seguida, utilize rotinas de indução propriamente ditas. Geralmente, as rotinas de relaxamento progressivo com fixação ocular são as mais fáceis de ser autoinduzidas.

Se você tiver problemas para obter os efeitos autossugeridos, pode ser útil quebrar a resposta desejada em etapas menores. Por exemplo, suponha que você queira autossugerir a rotina da mão colada na mesa. Nesse caso, para testar se a rotina deu certo, é melhor propor algo como: "tente levantar um dos dedos, mas sem conseguir" do que já dizer, por exemplo, "tente levantar a mão, mas sem conseguir". Vamos a mais um exemplo: suponha que você deseja produzir uma resposta de levitação da mão. Nesse caso, o melhor é concentrar-se em levantar um dos dedos. Se esse dedo se mover, vá sugerindo respostas gradualmente mais desafiadoras. As dicas relacionadas a induções hipnóticas também valem para auto-hipnose.

Quando as sugestões hipnóticas conseguem algum efeito (os olhos ficam colados, as mãos ficam coladas, o braço se eleva...), surge o momento adequado para a sugestão pós-hipnótica terapêutica que você tanto deseja: diminuir a ansiedade, comer menos, parar de fumar, entre outras possibilidades.

Pseudoauto-hipnose

Com o advento da fita cassete e dos gravadores, tornou-se possível gravar com sua própria voz os procedimentos de indução e, em seguida, ouvi-la com o objetivo de se autoinduzir ao transe hipnótico. Analogamente, qualquer pessoa com o mínimo de experiência com a hipnose poderia comprar CDs com induções hipnóticas gravadas por terceiros e utilizar em casa, para alcançar os mais diversos objetivos. O pesquisador Andre M. Weitzenhoffer alega que, embora seja verdade que nenhum hipnotizador esteja fisicamente presente, as induções e sugestões são emitidas por meios externos ao indivíduo, motivo pelo qual Weitzenhoffer e outros hipnotistas (me incluo entre eles) consideram que essa seja uma forma de pseudoauto-hipnose. No entanto, é importante ressaltar que essa é uma questão puramente semântica, já que ambos os tipos de práticas (auto-hipnose verdadeira ou pseudoauto-hipnose) permitem que o sujeito se torne independente na produção e na autoindução de suas rotinas.

Independentemente de qual seja sua escolha, aproveite a possibilidade de auto-hipnose para alcançar seus objetivos. A seguir, há algumas sugestões pós-hipnóticas terapêuticas para serem utilizadas em suas sessões de auto-hipnose. Por se tratar de roteiros de auto-hipnose falsa, eles também poderão ser utilizados pelo hipnotista para auxiliar alguma terceira pessoa no controle de algum mau hábito indesejado.

Controlando a procrastinação

Certamente, a procrastinação é a mãe da maior parte de nossos maus hábitos. O roteiro a seguir deve ser utilizado logo após o aprofundamento no transe. Dada a complexidade do texto, é recomendado que você faça uma gravação[71] e execute-a no momento adequado.

> Você[72] é persistente, determinado e ambicioso. Você irá concluir sua tarefa, já que você é um vencedor focado no sucesso. Você vai cumprir cada desejo pessoal e profissional de uma forma implacável, eficiente e poderosa. Você tem a autodisciplina para realizar todos os seus objetivos pessoais e profissionais. Cada dia que passa, você se torna mais e mais disciplinado. Agora, você pode executar as tarefas grandes e complicadas ao dividi-las em componentes menores e fazer um passo de cada vez.
>
> Você está claro e focado em seus valores e não tem motivos para comprometer seus objetivos. Você permanece alerta e focado no que você está fazendo. Você pode diariamente bloquear todos os pensamentos, exceto aqueles relacionados ao que você está fazendo. Você é um vencedor e agora sempre agirá como alguém de sucesso. Você é autossuficiente e autoconfiante.
>
> Você está cheio de independência e determinação. Você reconhece como ninguém todos os verdadeiros motivos pelos quais é tão importante realizar suas metas. Você tem a coragem e força interior para fazer e realizar todas as decisões para melhorar a sua vida. Você cumpre todos

71 Obviamente, a gravação precisa conter o processo hipnótico completo, desde a indução até as sugestões pós-hipnóticas. Não é possível entrar em transe para, posteriormente, executar alguma gravação.

72 Ao gravar esse roteiro para posterior execução, utilize o pronome pessoal de tratamento "você". No entanto, se for realizar uma auto-hipnose verdadeira, lembre-se de utilizar sempre o pronome pessoal "eu".

os compromissos que estabelece consigo. Você sempre termina aquilo que começa. Você tem o poder e a capacidade de fazer mais em menos tempo. Você usa e respeita o cronograma de tarefas. Você concluirá todos os seus projetos. Agora você vai dizer o que você quiser dizer. É fácil dizer o que precisa ser dito. Você não vai tolerar que outros tentem lhe manipular.

Você tem o poder e a capacidade de criar qualquer realidade que deseja, especialmente uma livre de procrastinação.

Autoconfiança

Faça uso do seguinte exercício imaginário visual para aumentar sua autoconfiança. É importante realizar alguma indução hipnótica e o posterior aprofundamento antes de iniciar o roteiro.

> Sente-se confortavelmente, relaxe e respire profundamente. Visualize-se no seu ambiente sereno de preferência: pode ser uma praia, um parque ou uma cabana na floresta.
>
> *[Se você optar por realizar uma gravação para si mesmo, deixe-a personalizada. Se você tiver algum envolvimento emocional muito forte com alguém, imagine que você está em um ambiente especial com essa pessoa. Por exemplo, se você tiver um filho, você pode se imaginar brincando com ele em um parquinho. Nesse caso, o parquinho seria o seu lugar agradável favorito. Talvez você já tenha feito uma viagem inesquecível para uma praia paradisíaca. Nesse caso, basta imaginar essa praia e o máximo de detalhes possível: o barulho das ondas, o calor do sol, a brisa suave, o cheiro da maresia etc. Deixe-se relaxar mais e mais profundamente.]*
>
> Imagine que você está em seu lugar favorito, contemplando o céu azul. Imagine que, aos poucos, surge um arco-íris. Lentamente, todas as cores ficam evidentes e você presta atenção em todas elas. Você vê o vermelho, o laranja, o amarelo, o verde, o azul, o anil e o violeta.
>
> Enquanto olhar para esse arco-íris, você poderá atingir o objetivo que quiser, desde que continue observando. O arco-íris não precisa estar presente para que você possa realizar seu objetivo. No entanto, se ele estiver lá, ele garantirá o resultado positivo em qualquer tarefa.

Pense agora no tipo de pessoa que você gostaria de se tornar. Reveja os traços de personalidade, os problemas de saúde, finanças e relacionamentos. Concentre-se em objetivos específicos e aspectos de sua personalidade. Enquanto você se concentra, veja o arco-íris. Você está agora em plenas condições de cumprir a meta e de se tornar quem você quer ser.

Agora, imagine uma grande tela de televisão na sua frente. Imagine que a imagem da televisão está dividida em duas partes iguais. Na parte da direita, visualize-se atingindo suas metas e objetivos. Imagine essa cena com detalhes: suas reações físicas, seus pensamentos, sua felicidade... Agora, imagine que na parte esquerda está você mesmo, nas condições atuais. Imagine aquilo que mais o incomoda atualmente. Esse é o chamado efeito da tela dividida. Agora, imagine que você está girando uma pequena alavanca do controle remoto para melhorar a qualidade da imagem. Quanto mais você gira essa alavanca, mais cristalina fica a imagem da direita, a imagem que mostra você alcançando suas metas. No entanto, quanto mais você continua girando esse botão, mais apagada fica a imagem da esquerda, que representa sua condição atual. Assim, quanto mais você o gira, mais nítida fica a imagem do futuro e mais transparente fica a imagem indesejável. Você continua girando a alavanca, e resta apenas a imagem do seu futuro ideal. Medite sobre esta imagem por pelo menos cinco minutos.

[Quando gravar, cronometre os cinco minutos. Além disso, coloque alguma música relaxante ao fundo (como as sugeridas no capítulo 2). Após passarem os cinco minutos, diga:]

Finalmente, respire fundo, abra os olhos e repita em voz alta: "Estou confiante".

"Eu sou o verdadeiro responsável pela minha vida."

[Finalize usando as técnicas usuais para despertar do transe hipnótico.]

Controlando a insônia

Para aqueles que sofrem de insônia, o exercício a seguir é indicado não apenas para o relaxamento, mas também para promover uma boa noite de descanso. Antes de iniciá-lo, verifique a hora e pense sobre a hora em que você deseja se levantar. Durante a indução, será importante ter essas informações em mãos.

Essa indução deve ser realizada com o corpo deitado de forma bem relaxada. O ideal é que você faça algum exercício de indução hipnótica antes de iniciar o exercício propriamente dito (fixação ocular, por exemplo).

Após realizar a autoindução hipnótica, feche os olhos e inspire fundo, mantendo o ar preso enquanto faz uma contagem bem lenta de um até seis. Ao atingir o número seis, solte o ar bem lentamente e, em seguida, faça mais uma inspiração profunda. No entanto, agora você vai segurar o ar enquanto faz uma contagem bem lenta de um até oito. Após alcançar o número oito, mais uma vez, você irá expirar lentamente e de forma bem relaxada.

Enquanto expira, sinta seus músculos relaxando-se ao máximo. Em seguida, enquanto você sente todo o corpo relaxando, contraia ao máximo os músculos dos braços e das mãos. Respire normalmente, mas cerre os punhos mais e mais. Enquanto mantém os punhos cerrados, estique ao máximo os braços, deixando-os mais e mais contraídos. Mantenha os músculos dos braços e os das mãos contraídos pelo maior tempo possível. No momento em que o cansaço muscular se tornar insuportável, simplesmente relaxe completamente as suas mãos e seus braços. Aproveite ao máximo esse relaxamento. Após cerca de trinta segundos, contraia novamente todos os músculos dos braços e mãos. Mais uma vez, estique ao máximo os braços enquanto contrai até o limite os músculos dos seus membros superiores. Quando o cansaço muscular parecer insustentável, relaxe completamente e aprecie essa sensação de relaxamento e bem-estar.

Após cerca de trinta segundos, aponte os dedões dos seus pés para fora do corpo e, em seguida, estique completamente suas pernas, contraindo ao máximo os músculos das suas pernas e pés. Aumente ao máximo a contração dos seus membros inferiores até o limite de suas forças. Quando o cansaço for intolerável, relaxe completamente todo o seu corpo, incluindo os membros inferiores. Por cerca de trinta segundos, desfrute do prazer que esse relaxamento lhe proporciona. Em seguida, estique novamente a perna, contraindo os músculos das pernas e pés. Enquanto mantém a contração, sinta o contraste entre o cansaço dos seus membros inferiores e o relaxamento do resto do corpo. Mais uma vez, quando o cansaço for realmente intolerável, relaxe completamente todos os músculos do corpo, incluindo membros inferiores.

Em seguida, após cerca de trinta segundos, concentre toda a sua atenção no pescoço, cabeça e áreas faciais. Enquanto o resto do corpo continua a relaxar de forma automática, contraia completamente os músculos da face, enquanto pressiona a parte de trás da cabeça contra o travesseiro. Observe a tensão em seu rosto, pescoço e parte traseira de sua cabeça. Quando o cansaço se tornar intolerável, relaxe completamente todo o corpo, incluindo a face, a cabeça e o pescoço. Descanse por cerca de trinta segundos e repita o processo, contraindo totalmente os músculos da face enquanto pressiona a parte de trás da cabeça contra o travesseiro. Quando não aguentar mais contrair, relaxe completamente a face, a cabeça, o pescoço e todo o resto do corpo. Aproveite esse momento de descontração, paz e relaxamento. A seguir, faça uma contagem de um a dez para o aprofundamento do seu transe. Essa contagem pode ser induzida por um gravador, ou até mesmo ser autoinduzida por meio de comandos internos. Veja o exemplo abaixo:

> Um... Meu corpo está completamente relaxado... Todos os meus músculos estão soltos e moles. Eu me sinto muito bem e desejo aprofundar ainda mais este estado. Dois... Mais e mais profundo... A cada número, eu vou aprofundar em dez vezes o estado anterior. Três... Estou me aprofundando ainda mais... Cada vez mais longe do estado anterior, mais e mais relaxado. Indo cada vez mais fundo, cada vez mais longe do meu estado inicial. Quatro... Ainda mais profundo. Vou permanecer neste estado até que eu mesmo dê o comando para despertar. Cinco... Eu continuo a ir cada vez mais fundo, cada vez mais longe deste estado atual. Dez vezes mais profundo do que o estado anterior. Seis... Dez vezes mais profundo... E cada vez mais relaxado. Sete... A cada inspiração, eu aprofundo mais e mais neste estado.
>
> *[Inspire e expire.]*
>
> Oito... Dez vezes mais profundo... Ainda mais relaxado. Nove... Dez vezes mais profundo... Mais e mais hipnotizado. Dez... Profundamente hipnotizado... Agora, a cada inspiração, vou me aprofundar mais e mais neste estado.
>
> *[Após o aprofundamento, realize as sugestões pós-hipnóticas relacionadas a uma boa noite de sono. Repita para si mesmo a seguinte sugestão:]*

A cada inspiração, vou programar minha mente subconsciente para ter a noite mais confortável e tranquila de sono que eu já experimentei.

[Mentalize um relógio de ponteiros e visualize o horário atual.]

Agora, são __h__. Irei dormir profundamente e acordar apenas às __h__.

[Continue visualizando o relógio com o horário atual. Em seguida, imagine os ponteiros se movimentando, como se o tempo estivesse passando depressa. Os ponteiros se moverão até alcançarem o horário em que você deseja acordar.]

O meu sono não será perturbado durante toda a noite, a menos que surja uma verdadeira emergência. Nesse caso, acordarei imediatamente. Na ausência de uma emergência, vou acordar naturalmente às __h__ muito relaxado e descansado. Essa será a minha nova rotina de sono. Agora, durma... durma... durma...

[Repita esse comando até que você durma de verdade.]

Peso saudável

Segundo estudo recente, 51% da população brasileira está acima do peso. Além disso, 17% sofre de obesidade. Provavelmente, a maioria dessas pessoas já tentou alguma dieta para perder peso. Infelizmente, muitas delas não funcionam de forma permanente e são apenas medidas temporárias que produzem resultados também temporários. Ou seja, são necessárias medidas permanentes para alcançarmos resultados igualmente permanentes.

Para alcançar bons resultados, você pode utilizar a auto-hipnose para emagrecer. No entanto, é preciso que você entenda que a hipnose é uma ferramenta catalisadora de outros processos. Em outras palavras, é preciso que você tenha um apoio interdisciplinar para emagrecer. A auto-hipnose vai ajudá-lo a seguir as orientações do nutricionista, além de potencializar seus trabalhos na academia.

Não comemos apenas para saciar a fome: também ingerimos alimentos para tentar lidar com a ansiedade, tensões e frustrações da vida diária. E esse é o principal motivo pelo qual frequentemente as tentativas de emagrecimento acabam falhando. A seguir, fiz uma lista dos momentos em que geralmente comemos sem de fato precisar. O ideal é que, antes de iniciar o processo, identifique e anote as situações em que isso acontece com você. Lembre-se: não estou me referindo à fome fisiológica, mas apenas aos momentos em que nos alimentamos desnecessariamente, por impulso.

- Quando se substitui as refeições principais por lanches por "estar muito ocupado".
- Situações que envolvem tentações alimentares (preparar alimentos, fazer compras de supermercado, sentir cheiro de alimentos no local do trabalho, entre outras).
- Lazer (comer enquanto joga pôquer ou videogame ou assiste a filmes etc.)
- Passeios envolvendo jantares e almoços.
- Quando se fica fora de casa o dia inteiro, realizando as refeições em restaurantes e lanchonetes.
- Durante atividades de rotina (lendo jornal, durante o trabalho doméstico ou até mesmo enquanto dirige o carro).
- Situações que envolvam mudanças de humor (tédio, preocupações excessivas, ansiedade etc.).

A seguir, você aprenderá um roteiro com sugestões para emagrecer. Elas lhe ajudarão a perder massa porque vão atuar principalmente nos momentos de ansiedade e tensão, em que você se alimenta desnecessariamente. O roteiro deve ser usado após a indução do transe hipnótico. Mais uma vez, não faz muita diferença se você gravar sua própria voz ou se você realmente realizar a autossugestão durante o processo. No entanto, como o roteiro é um pouco longo, talvez seja mais fácil simplesmente gravá-lo e executá-lo quando precisar.

> Estar acima do peso não é saudável. Eu preciso do meu corpo para viver. Eu devo ao meu corpo respeito e proteção.
>
> Eu tenho o poder de reprogramar minha mente subconsciente para reverter pensamentos anteriores e criar novos padrões mais saudáveis. A partir de hoje, vou reprogramar meu subconsciente para pensar em mim mesmo como sendo magro e irei comer apenas os alimentos que são saudáveis e necessários para o meu corpo. Além disso, vou comer apenas as porções necessárias para me manter cada vez mais saudável. Vou eliminar[73] todo o peso que desejo e farei isso a partir de hoje.
>
> Eu vou associar esse estado de relaxamento em que me encontro agora com uma atitude relaxada sobre a perda de peso. Para isso, seguirei o

73 Alguns autores, como o médico Lair Ribeiro, costumam orientar as pessoas a substituir a expressão "perder peso" por "eliminar peso". Segundo esses autores, a expressão "perder peso" possui elementos que sugerem o efeito sanfona, já que costumamos "reencontrar" aquilo que perdemos.

meu plano alimentar. A cada quilo eliminado, ganharei mais confiança para eliminar ainda mais peso. Enquanto eu comer, vou cortar a comida em pedaços pequenos e mastigar lenta e completamente antes de engolir. Comerei apenas uma porção de comida de cada vez. Eu vou descobrir que, por comer devagar e em pequenas porções, irei desfrutar mais das minhas refeições e vou ingerir menos alimentos. Vou me sentir satisfeito após cada refeição de meu plano alimentar. Eu nunca, nunca vou comer quando não estiver com fome.

Repetirei essas afirmações para mim mesmo:

- Vou conseguir mais satisfação comendo menos comida diariamente.
- Vou comer devagar e apenas nas horas corretas, de acordo com meu plano alimentar.
- Estou eliminando peso progressivamente a cada semana.
- Estou me sentindo mais magro e em forma.
- A cada dia, gosto mais e mais dos alimentos saudáveis.
- Eu estou no controle do meu corpo e comerei apenas quando realmente precisar.

[Finalize com alguma rotina para despertar do transe.]

Parar de fumar

De acordo com uma pesquisa, 17,2% dos brasileiros fumam. Entre eles, mais da metade pensa em parar. Caso você seja uma dessas pessoas, utilize o roteiro a seguir para deixar de fumar. Lembre-se de usar as suas técnicas de indução e aprofundamento favoritas. Se você optar por realizar uma gravação, grave o processo inteiro (indução, aprofundamento, sugestões pós-hipnóticas e despertar).

Você tem completo autocontrole sobre seu corpo. Dessa maneira, se você não quiser fumar, você não irá fumar mais. Você percebe que o tabagismo é uma forma de irritação e que, quanto mais tempo você ficar sem um cigarro, menor será sua necessidade de fumar. Daqui a uma hora, você terá ainda menos vontade de fumar do que você sente agora. Daqui a duas horas a partir de agora, você terá ainda menos vontade de fumar do que você terá daqui a uma hora. Assim, a cada hora que passa, você terá menos vontade e menor necessidade de fumar.

Você tem o maior respeito por seu corpo. Fumar é um veneno. Você precisa do seu corpo para viver. Você deve a seu corpo esse respeito e proteção.

A partir de agora, você já não fuma por hábito ou vício. A cada vez que você pensar em fumar, você vai contrapor as vantagens e desvantagens e irá desistir. Você vai ignorar o desejo de fumar. Você não precisará pensar em "não fumar". Na verdade, você nem pensará em cigarro a partir de hoje.

A partir de agora, você não vai mais fumar meia hora após despertar pela manhã. Você também não fumará quando for tomar café ou antes de alguma refeição. Nesses momentos, você vai apenas escovar os dentes e usar antisséptico bucal. Você deseja manter sua boca limpa e vai fazer de tudo para mantê-la nesse estado.

Cada cigarro que você fuma vai lhe dar cada vez menos prazer. Associe esse relaxamento que você tem agora com um controle sobre o seu próprio corpo por meio do uso de sua mente subconsciente. Você está constantemente perdendo o desejo por cigarros.

Ao deixar de fumar, você irá melhorar sua saúde. Você vai estar menos propenso a sofrer de doenças cardíacas, enfisema, bronquite e câncer de pulmão. Sua digestão vai melhorar e sua comida terá um sabor bem melhor. No entanto, você não vai comer demais, porque a sua autoconfiança irá melhorar também.

Segure a respiração por uma contagem lenta de um a dez. Inspire lentamente e observe o quanto você está relaxado ao inalar esse ar fresco. Você vai relaxar ainda mais enquanto respira esse ar fresco e sem fumaça. Você está no controle completo de todos os seus hábitos. Se o desejo de fumar eventualmente surgir, você dirá para si mesmo: "Eu não fumo mais e eu não desejo fumar".

Você é um ser livre e poderoso que, a partir de hoje, irá eliminar de uma vez por todas qualquer desejo de fumar. Seu corpo e sua mente vão se curar e se equilibrar. Você tem toda a força interior necessária para criar sua nova realidade livre do fumo.

Você está no controle de sua vida e está confiante em sua capacidade de eliminar definitivamente o hábito de fumar do seu dia a dia. Todos os dias, você irá programar seu subconsciente para alcançar esse objetivo.

[Finalize o transe da maneira que desejar.]

Sonhos lúcidos

O sonho lúcido é a consciência do fato de estar sonhando. Os sonhos lúcidos geralmente ocorrem quando se está no meio de um sonho normal e, de repente, percebe que está sonhando. Quando isso ocorre, você tem a capacidade de controlar seus sonhos, a parte mais essencial do processo. Alguns autores dizem que os sonhos lúcidos permitem o autoconhecimento, desenvolvimento pessoal, entre outros benefícios. Porém, infelizmente, é difícil comprovar essas alegações, mas uma coisa posso garantir: sonhar acordado é uma das experiências mais incríveis que você pode ter. Ainda que não seja um tema diretamente ligado à hipnose, decidi colocá-lo nesta seção, já que sua aprendizagem envolve algum tipo de programação mental. Veja os primeiros passos para experimentar os sonhos lúcidos.

1 – Durante o dia, crie o hábito de se perguntar: "Será que estou sonhando?". Com a prática, se isso acontecer um número suficiente de vezes, você vai se lembrar automaticamente durante seus sonhos de fazê-lo.

2 – Mantenha um diário de sonhos. Este talvez seja o passo mais importante para o sonho lúcido. Mantenha-o perto de sua cama à noite e escreva nele imediatamente após acordar. Essa prática é importante por dois motivos. O primeiro é que o simples fato de anotar o que sonhou vai tornar seus sonhos automaticamente mais memoráveis. O segundo motivo é que, ao anotar seus sonhos, você diz ao cérebro que seus sonhos são importantes e, naturalmente, você vai se lembrar com mais facilidade deles. Além disso, você será capaz de identificar seus "sinais de sonhos". Todos nós costumamos repetir certos elementos em nossos sonhos: pessoas, ambientes, eventos... Ao constatar esses sinais, ficará mais fácil de você identificar quando estiver sonhando.

3 – Utilize o método de indução de sonhos lúcidos (MILD) de Stephen Laberge.[74] Segundo esse método, é necessário ajustar o despertador para acordá-lo quatro horas e meia depois de adormecer, e novamente seis ou sete horas e meia a partir do horário inicial. Quando for acordado pelo despertador, tente lembrar-se ao máximo do seu sonho e volte à posição em que estava dormindo, imaginando-se na mesma situação em que você estava sonhando. No entanto, dessa vez, diga a si mesmo: "Eu estarei ciente de que estarei sonhando". Faça

74 Stephen LaBerge (1947-) é um psicofisiologista e um líder no estudo científico sobre sonho lúcido.

isso até que você volte a dormir e a sonhar. Se eventualmente surgirem pensamentos aleatórios em sua mente, simplesmente foque na situação que você estava vivendo em seu sonho anterior. Com certa prática, após algumas tentativas, você já experimentará sonhos lúcidos.

Controlando a dor

A aceitação da dor como um fardo necessário é certamente um dos pontos em comum entre a maioria das religiões. Até mesmo na contemporaneidade, a dor é bastante valorizada. O *best-seller* adaptado em filme *A culpa é das estrelas* exemplifica a valorização da dor como um importante mecanismo por meio de uma frase: "a dor deve ser sentida". Ainda que filosoficamente a importância da dor possa ser debatida por horas a fio, biologicamente, sua importância é inegável. Grosso modo, podemos identificar a dor como um alerta de que existe algo de errado em nosso organismo. Imagine que você esteja sentindo uma forte dor na coluna. Nesse caso, a dor é o alerta de que você precisa procurar algum especialista e evitar danos maiores a seu organismo. Ainda que, nesses casos, seja possível utilizar hipnose para controlar a dor, ela deve ser utilizada apenas em último caso.

Por outro lado, existem pessoas acometidas por dores crônicas cuja causa já foi identificada por especialistas, devendo o paciente simplesmente tolerá-la. As dolorosas enxaquecas e as dores decorrentes de reumatismos crônicos são ótimos exemplos desses casos. Então, certamente, essas são as melhores situações para uso da hipnose com fins anestésicos.

Independentemente de qual seja o tipo de dor, ela possuirá dois componentes específicos: sensorial e afetivo.

A dor sensorial fornece as principais pistas sobre a localização e características específicas da dor, tais como calor, frio, ardor, dor intermitente ou contínua. A dor sensorial serve como proteção de nosso organismo e não deve ser eliminada sem que haja uma avaliação médica sobre suas causas.

O componente afetivo da dor descreve o quanto a dor é perturbadora ou incômoda para o paciente. Esse componente identifica o impacto e a interpretação da dor sensorial. Por exemplo, a dor muscular normalmente sofrida por um atleta após um intenso treinamento (tal como o levantamento de peso ou uma maratona) é certamente real, mas ele não se incomoda tanto com isso. Ao menos, não se incomoda na mesma medida que alguém que sofra uma dor equivalente sensorialmente, mas produzida por um ferimento acidental. Da mesma forma, a dor do parto é sensorialmente intensa. No entanto, devido à felicidade pelo nascimento do filho, tende a não causar tanto sofrimento. Por outro lado, aquele mesmo atleta, já acostumado com as dores naturalmente decorrentes de seu treinamento, pode sofrer bastante com dores sensorialmente menores, mas que indiquem lesões que possam colocá-lo de fora de alguma competição importante ou, até mesmo, aposentá-lo precocemente.

A dor pode ser controlada por meio de dois mecanismos distintos: distração e dissociação. Os mecanismos de distração certamente são os mais conhecidos. Por exemplo, não são raras as vezes em que os pais, ao levarem seus filhos para um procedimento de vacinação, procuram distraí-las por meio de uma conversa ou até mesmo brincando com elas. Já os mecanismos dissociativos são aqueles que conseguem inibir a mente do sujeito com o objetivo de identificar a dor sensorial, limitando bastante o sofrimento.

Geralmente, a hipnose trabalha com ambos os mecanismos, tornando-se uma ferramenta muito importante para o controle da dor, seja em terceiros ou em si mesmo. O roteiro a seguir pode ser adaptado para qualquer tipo de dor que necessite de controle, em especial seu componente afetivo.

Como essa hipnose exige algumas informações sobre como o sujeito interpreta a dor, a primeira parte do roteiro envolve uma série de perguntas. Para a auto-hipnose, identifique a resposta para essas perguntas antes de realizar ou gravar a indução.

[Ao contrário dos procedimentos anteriores, este roteiro se inicia antes mesmo da indução propriamente dita. Antes da indução ao transe, peça para o sujeito classificar sua dor por meio de três variáveis: forma, cor e intensidade. No exemplo a seguir, vamos considerar que o sujeito tenha uma queixa em relação a uma forte dor de cabeça.]

Onde dói?

[Espere que o sujeito aponte para a área dolorida.]

Entre as formas geométricas que você conhece, qual delas mais se assemelha ao formato dessa dor?

[Alguns sujeitos podem ser um pouco relutantes a dar esse tipo de informação. No entanto, ainda que ele conheça poucas figuras geométricas, é

essencial que ele indique alguma figura geométrica. No caso, consideramos que ele tenha respondido que sua dor se assemelha a um quadrado.]

Imagine que você possui uma escala de cores que mostre todas as diversas dores que você já sentiu na vida. Qual seria a cor referente à dor máxima e qual indicaria ausência de dor?

[Frequentemente, as cores mais utilizadas para indicar o máximo e o mínimo de dor são, respectivamente, vermelha e branca. Usaremos estas, então, para este exemplo, mas é fundamental identificar a escala de cores utilizada pelo sujeito.]

Ótimo! Agora, em uma escala de um a dez, em que um se refere a um leve incômodo, e dez à maior dor que você já experimentou, qual o valor da dor que você sente neste momento?

[Nesse caso, digamos que o sujeito responda que sua dor tem valor igual a seis.]

Na sua escala de cores, qual seria a cor referente à dor que você sente agora?

[Digamos que o sujeito responda que a cor é alaranjada. Geralmente, os sujeitos irão escolher alguma cor intermediária da escala criada anteriormente. O importante é criar uma representação visual para a dor do sujeito. Em nosso exemplo, trata-se de uma dor no formato de um quadrado, de cor alaranjada e intensidade igual a seis.]

A partir das informações obtidas, realize a indução. Se a dor for razoavelmente tolerável ou tratar-se da gravação de um roteiro de auto-hipnose, utilize uma indução que se baseie em visualizações agradáveis, como o roteiro da praia. Eles costumam favorecer a desatenção em relação à dor. No entanto, em contexto clínico, podem surgir dores fortíssimas, como queimaduras, que irão demandar alguma indução rápida. Alguns sujeitos mais resistentes podem requerer o uso de rotinas de aprofundamento do transe. Nesses casos, realize a rotina de aprofundamento mais adequada ao roteiro escolhido pela indução.

Após a indução e o eventual aprofundamento, siga com a segunda parte do procedimento para controlar a dor.

Visualize aquele quadrado alaranjado nessa região da sua cabeça.

[Caso não seja uma autoindução, você pode apontar para a região onde o sujeito identificou a dor.]

Esse quadrado alaranjado possui um número seis estampado em seu exterior. Imagine esse quadrado sofrendo uma lenta metamorfose, até transformar-se em um triângulo amarelo. Esse triângulo é menor que o quadrado e possui o número cinco estampado em seu exterior.

[Se o sujeito escolher uma figura geométrica com muitos lados, por exemplo um hexágono, você pode transformar a figura inicial em alguma figura com menos lados. Se isso não acontecer, basta que o sujeito visualize outras figuras geométricas em tamanho menor.]

Veja esse triângulo amarelo. Em determinado momento, ele começa a sofrer uma lenta metamorfose e transforma-se em um círculo da cor bege, bem menor que o triângulo. Esse círculo possui o número três estampado em seu exterior.

Veja esse círculo bege. Em determinado momento, ele começa a sofrer mais uma transformação. Aos poucos, transforma-se em um quadrado cinza-claro e de tamanho bem menor que o círculo anterior. Esse quadrado cinza é realmente muito pequeno e possui o número dois impresso em seu exterior.

[Observe que não existe problema algum se alguma figura geométrica se repetir nem a escolha das cores. Ainda que a cor não tenha muita relação com o bege anteriormente apresentado, ela é próxima à cor que representa a dor de menor intensidade: o branco. Ainda que essa proximidade não seja essencial, é bom quando conseguimos atingi-la.]

Veja esse quadrado cinza. Em determinado momento, ele começa a sofrer mais uma transformação. Aos poucos, ele se transforma em um triângulo branco e de tamanho ainda menor, quase imperceptível. Esse triângulo branco é minúsculo e possui o número um impresso em seu exterior.

Observe atentamente esse triângulo branco. Aos poucos, ele começa a ficar transparente... Cada vez mais transparente. E começa a sumir... E vai sumindo... Até que desaparece.

[Se você quiser, pode estalar os dedos quando disser a palavra "desaparece". Finalize o transe de uma forma compatível com a indução inicial. Caso você esteja realizando essa indução em outro sujeito, após o despertar, peça que ele avalie a dor em uma escala de um até dez. Devido aos elementos de distração e dissociação da dor, provavelmente, ele a avaliará com um valor bem menor.]

6 . Mentalismo

"A Força pode ter uma forte influência sobre os fracos de espírito."
Obi-Wan Kenobi, personagem de *Star Wars*

Introdução

Mentalismo é uma arte cujos praticantes, conhecidos como mentalistas, parecem demonstrar habilidades mentais. Essas habilidades costumam incluir demonstrações de memória excepcional, cálculos mentais, além de supostos poderes psíquicos, como telepatia, clarividência, adivinhação, precognição, psicocinese, controle da mente, entre outras. Alguns mentalistas famosos costumam incluir números de hipnose de palco em seus espetáculos.

Minha primeira apresentação pública de mentalismo ocorreu em 2006, no programa *Caldeirão do Huck*. Na ocasião, realizei dois números de mentalismo:

- A apresentação de uma revista *Quem* completamente memorizada. Estando vendado, era capaz de relatar o conteúdo de qualquer página da revista, bastando que me fosse dito o número da página desejada.
- A demonstração do calendário gregoriano completamente memorizado. Nesse número, eu indicava rapidamente o dia da semana de qualquer data entre 1753 e 2099.

Com o passar dos anos, continuei a realizar apresentações públicas envolvendo a memória: memorização da sequência de cartas de baralho, longas sequências de dígitos, nomes e rostos de pessoas, entre outros números.

Em 2009, um caso me levou a estudar mais profundamente a psicologia por trás do mentalismo. Esse fato aconteceu na cidade de Cabo Frio, no Rio de Janeiro. Na ocasião, minha participação no programa *Domingão do Faustão* era muito recente. Dessa maneira, dada a popularidade do programa, fui reconhecido por banhistas na praia como o "homem-memória" e me foi solicitado que realizasse alguns números envolvendo a minha memória. Após a demonstração, uma menina disse, emocionada:

"Impressionante isso que você faz. Por favor, me fale algo da minha mãe."

A menina queria que eu me comunicasse com a sua mãe, que havia falecido havia pouco tempo. Em outras palavras, ela achou que eu era algum tipo de vidente capaz de me comunicar com os mortos. Na ocasião, desconversei, explicando que não era paranormal. No entanto, aquilo não saiu da minha mente: "Como alguém poderia imaginar que eu era um vidente?". Após alguns dias, decidi incorporar um novo elemento de mentalismo a meus shows: o tempo atmosférico no momento exato do nascimento.

Assim, após responder o dia da semana em que a pessoa nasceu, eu perguntava: "A que horas você nasceu?". Independentemente da resposta, eu dizia: "pancadas de chuva".

A resposta funcionava por dois motivos. O primeiro é bem simples: a maioria das pessoas não faz ideia do tempo atmosférico no momento de seu nascimento. Assim, qualquer resposta a impressionaria.

O segundo motivo é mais interessante. Apesar de ter sido selecionada por mim previamente, a escolha por essa resposta não foi aleatória. Na verdade, "pancadas de chuva" era uma resposta tautológica. Ou seja, era uma resposta que seria aceita como verdadeira sempre, independentemente de ter chovido ou não. Caso a pessoa tivesse certeza de que o clima era de sol, eu poderia argumentar: "Claro que houve sol após as pancadas de chuva". Em contrapartida, se a pessoa tivesse certeza de que houve chuva no dia do seu nascimento, ela também ficaria impressionada. Lembra-se do efeito Fox Mulder? As pessoas querem acreditar, ainda que você seja impreciso.

Em 2010, tive a oportunidade de realizar um espetáculo de memória para mil pessoas na cidade de Imperatriz (MA). Durante a apresentação do calendário, decidi realizar mais uma vez a adivinhação meteorológica. Após apresentar duas datas, uma jovem se aproximou do palco e me desafiou:

– Eu tenho certeza do tempo no dia do meu nascimento.

Admito: não esperava que aquilo acontecesse. No entanto, era a chance que eu tinha para consolidar minha carreira como mentalista. Assim, me direcionei à menina e respondi:

– Sem problemas, pode vir até o palco. Falarei o dia da semana da sua data de nascimento e o tempo atmosférico.

Nesse momento, a plateia ficou apreensiva: afinal, seria mesmo verdade a adivinhação? Rapidamente, a garota subiu no palco e disse:

– Nasci no dia 10 de março de 1979.

– Você nasceu em um sábado – respondi.

– Sim, eu nasci em um sábado. No entanto, quero saber: como estava o tempo na data do meu nascimento?

Fechei meus olhos e, fazendo ar de compenetrado, respondi:

– No dia de seu nascimento, a cidade de Imperatriz teve uma chuva fortíssima. Aliás, muito me admira que sua mãe tenha conseguido chegar a tempo no hospital.

Após ouvir minha resposta, a jovem começou a chorar e disse:

– Minha mãe me disse que eu quase nasci dentro do carro, devido à inundação.

O público foi ao delírio! Aproveitei o momento e perguntei:

– Mais algum cético deseja testar minha habilidade?

Obviamente, ninguém se manifestou, e pude continuar meu show de mentalismo e memória.

Você deve estar se perguntando: como eu sabia da chuva? Ora, não é comum as pessoas terem tanta certeza acerca do tempo no momento exato de seu nascimento. Dessa maneira, essa certeza viria de alguma história inusitada envolvendo o dia de nascimento da garota. Assim, imaginei que teria chovido muito: a chuva costuma ser protagonista de imprevistos.

Em 2007, um grupo de mentalistas e ilusionistas, incluindo James Randi, reuniu-se em Las Vegas para falar sobre os princípios psicológicos utilizados por eles para criar os números de seus espetáculos. No entanto, não era uma palestra qualquer: o público era formado por psicólogos e neurocientistas presentes em *The Magic of Consciousness Symposium*. O objetivo dessa colaboração entre mágicos e psicólogos era identificar novas maneiras de se investigar o pensamento e o comportamento humano. Veja a seguir alguns princípios por trás dos números de mágica.

Princípios básicos

Indumentária

Existem roupas específicas para ilusionistas e mentalistas. Em números de ilusionismo, o ideal é vestir-se a caráter: cartola, varinha e tudo o mais. Nesse caso, o uso de tais roupas favorece as ilusões cognitivas.

No entanto, o traje de mentalista precisa ser natural: roupa de malha, camisa, terno... aquilo que você desejar. Algumas pessoas acham que uma roupa sombria, uma abordagem sem humor e um comportamento misterioso são suficientes para convencer o público de que você é um verdadeiro mentalista.

Na verdade, o oposto é verdadeiro. Deve haver uma naturalidade na aparência do mentalista. Além de colocar a audiência mais à vontade, você derrubará as barreiras psicológicas que os indivíduos podem ter em relação a figuras de autoridade.

Desorientação

A desorientação física é uma ferramenta bem conhecida pelo ilusionista, que consiste em ele apontar para um objeto com o objetivo de desviar a atenção do público da área onde o truque realmente acontece.

Um estudo recente, realizado pelo doutor Gustav Kuhn e colaboradores, da Universidade de York, na Inglaterra, examinou os mecanismos de desorientação por trás do "truque da bola que desaparece". Nesse simples número de mágica, o ilusionista lança uma bola para o ar três vezes, mas na terceira vez ela supostamente desaparece. O doutor Kuhn, que também estuda mágica e ilusionismo, demonstra o truque em um vídeo.[75]

No terceiro arremesso da bolinha, o pesquisador a esconde na palma da mão. No entanto, ele ainda olha para cima, como se esperasse ver a bola em voo. Para tornar o truque ainda mais verossímil, ao mostrar as mãos vazias, ele também dobra o polegar da mão esquerda (que não esconde bola alguma).

O estudo do doutor Kuhn descobriu que é o olhar para cima que tem papel fundamental para que esse simples truque funcione ou não. Em seu experimento, cerca de $^2/_3$ dos observadores disseram que viram a bola realmente se movendo para cima quando o mágico olhou também para cima. No entanto, ao realizar o mesmo truque sem mudar a direção de seu olhar, apenas $^1/_3$ dos entrevistados pensou ter visto a bola se movendo para cima.

A desorientação psicológica é muito mais sutil e difícil de identificar. Nesse caso, o mágico cria a ilusão de que a plateia teria descoberto o truque por trás de seu número de mágica. Após identificarem esse suposto truque, a plateia se torna menos propensa a identificar o truque verdadeiro. Assim, ao final do número, o ilusionista mostra que a suposta solução encontrada jamais funcionaria.

Pesquisas sobre "resolução de problemas" indicam que, uma vez que temos uma solução em mente, é muito difícil pensar em alternativas. Algo similar a esse efeito é percebido quando estamos tentando lembrar o nome de um determinado ator e ficamos com a resposta errada presa em nossa mente,

75 Disponível em: http://bit.ly/1STIKY2. Acesso em: 22 de novembro de 2015.

bloqueando a resposta certa. Sabemos que não é aquele, mas não conseguimos evocar o nome correto.

Ilusões cognitivas

Em 1983, David Copperfield, um dos maiores ilusionistas de nosso tempo, fez um número que entrou para a história: conseguiu realizar o truque do desaparecimento da Estátua da Liberdade em frente a uma audiência de dezenas de pessoas, com transmissão ao vivo pela TV.

Ilusionistas de todo o mundo realizam números impressionantes de desaparecimento diante dos olhos de uma plateia: elefantes, aviões ou até mesmo a Estátua da Liberdade. Além de utilizar o princípio de desorientação, esses números de mágica costumam envolver engenhosos sistemas de iluminação, espelhos, entre outras estruturas físicas.

No entanto, os ilusionistas não se restringem a ilusões físicas. Na maioria dos truques, eles também usam ilusões cognitivas para enganar nossa atenção ou a maneira como prevemos acontecimentos futuros.

Pesquisas sugerem que seja necessário cerca de um décimo de segundo para que as informações de nosso ambiente cheguem à consciência, o que significa que nossa consciência vive um décimo de segundo no passado, se comparada com aquilo que acontece no instante.

Nosso cérebro tenta contornar esse atraso realizando previsões acerca do que acontecerá no "futuro", ou seja, agora. Nossa habilidade em tentar prever o futuro é muito utilizada por mágicos profissionais com o objetivo de nos enganar.

Um ótimo exemplo disso pode ser verificado na aplicação de uma mágica simples: o desaparecimento de uma caneta.[76] Em um gesto rápido, o mágico esconde a caneta em uma das mangas de sua blusa. No entanto, o movimento acontece tão rápido que não é totalmente processado por nosso cérebro.

Um experimento realizado em Harvard confirma esse fenômeno de previsão automática de acontecimentos futuros. Na ocasião, os pesquisadores Christopher Chabris e Daniel Simons solicitaram a alguns voluntários que fizessem um teste de atenção.[77]

76 O truque e sua explicação podem ser vistos em: http://bit.ly/1NIvSut. Acesso em: 22 de novembro de 2015.

77 Caso não conheça o teste, você pode conferi-lo em: http://bit.ly./1binDKo. (Recomendo que você faça o teste antes de prosseguir.) Acesso em: 22 de novembro de 2015.

O teste se baseia em uma tarefa aparentemente simples. Os voluntários foram convidados a assistir a um vídeo em que duas equipes de basquete, uma delas com o uniforme preto e outra em uniforme branco, trocavam passes uma com a outra.

Antes da execução da fita, os pesquisadores deram as instruções: os voluntários deveriam contar o número de passes realizados pela equipe de uniformes brancos, ignorando os passes feitos pela equipe de preto.

Imediatamente após o término do vídeo, os pesquisadores pediram aos participantes que informassem o número de passes contabilizados.

O resultado da contagem não importava muito: a única função dessa tarefa era manter as pessoas engajadas em alguma atividade que exigisse atenção.

No meio do vídeo, surgia uma estudante fantasiada de gorila caminhando lentamente do lado direito até o meio da tela. Em seguida, ela para, encara a câmera e começa a bater com seus braços sobre o peito. Posteriormente, o gorila continua seu trajeto em direção ao lado esquerdo da tela, sumindo do campo de vista da câmera. O gorila fica em torno de nove segundos na tela. Após a participação do gorila, os times ainda trocam alguns passes de basquete e o teste termina.

Surpreendentemente, cerca de metade dos indivíduos que participaram desse estudo não percebeu a presença do gorila. Desde então, o experimento foi repetido diversas vezes, em condições completamente diferentes, em vários países e o resultado é sempre o mesmo. Como as pessoas não veem um gorila que caminha lentamente em direção ao meio da tela, encara a câmera, bate em seu peito e vai embora? O que torna esse gorila invisível?

Essa falha em nossa percepção para um objeto inesperado atende pelo nome técnico de "cegueira por desatenção", e é um ótimo exemplo dos tipos de ilusões cognitivas a que estamos sujeitos.

Outra demonstração elegante desse fenômeno foi produzida por um mágico e psicólogo, o professor Richard Wiseman. Nesse teste,[78] ele realiza uma mágica, mas também altera alguns detalhes do ambiente durante as mudanças no enquadramento.

Esses experimentos indicam algo interessante: olhar não é suficiente para perceber detalhes de alguma cena que presenciamos. Ainda que os participantes estivessem olhando para a tela atentamente, não foi suficiente para que todos percebessem a presença do gorila. Assim, essas pesquisas indicam que a direção de nosso olhar e o foco de nossa atenção podem ser processos comple-

78 Assista ao teste em: http://bit.ly/colorchangemagic. Acesso em: 22 de novembro de 2015.

tamente independentes uns dos outros – fato de que os ilusionistas se aproveitam há gerações.

Indução mental

Indução é a arte de sugestionar o espectador a realizar uma escolha previamente definida pelo mágico. Por exemplo, suponha que eu tenha um baralho especial, contendo 52 reis de espadas. Nesse caso, se eu deixasse as cartas viradas para baixo de forma que ninguém percebesse que todas são iguais e pedisse ao espectador para pegar alguma carta aleatória, é evidente que ele escolheria um rei de espadas. Obviamente, mágicos experientes não precisariam de um baralho com tantas cartas iguais para forçar o espectador a escolher uma carta previamente selecionada. Em geral, eles utilizam a habilidade em lidar com os baralhos de forma a induzir o espectador a escolher a carta previamente definida.

No entanto, o mágico não precisa necessariamente utilizar sua habilidade em manipular cartas para induzir a escolha. Com frequência, ilusionistas e mentalistas utilizam outro tipo de indução: a psicológica.

Suponha que eu pedisse para você escolher livremente alguma carta entre as 52 de um baralho qualquer, mas quisesse que você escolhesse o rei de espadas. Nesse caso, eu poderia utilizar alguma técnica para expor o rei de espadas por um tempo maior do que as outras cartas, sugestionando-lhe a escolhê-lo. Nessas ocasiões, o mentalista costuma enfatizar verbalmente ao público que essa escolha está sendo livre: "Vejam bem, ele está escolhendo livremente uma carta". Em contrapartida, o espectador é pressionado a escolher a carta muito rapidamente, levando-o a escolher aquela que lhe foi exposta por mais tempo.

Em um de seus truques, o professor Richard Wiseman demonstra a força da indução mental e das ilusões cognitivas.

Nesse truque,[79] são mostradas três cartas: ás de copas, dez de espadas e rei de copas. Em seguida, o mágico pede que você escolha livremente uma dessas cartas.

Caso ele tentasse descobrir sua carta por mero acaso, ele teria apenas 33% de chances de acertar. No entanto, ainda que inicialmente você tenha escolhido uma carta diferente da proposta pelo ilusionista, ele procura sugestioná-lo a escolher o ás de copas. Para isso acontecer, ele expõe o ás de copas por mais tempo para a câmera, enquanto repete: "Você pode escolher qualquer uma".

79 Veja o truque em: http://bit.ly/psychcardtrick. Acesso em: 22 de novembro de 2015.

Ao repetir essa frase, ele procura pressioná-lo a realizar novamente sua escolha. Assim, após ser pressionado algumas vezes, você terá maior chance de escolher a mais fácil cognitivamente: o ás de copas.

Ainda que não haja como ter certeza absoluta de que o espectador escolha o ás de copas, certamente a probabilidade de isso acontecer é maior do que os 33% iniciais. Ao final da apresentação, ele demonstra outra ilusão cognitiva.

Plausibilidade

A plausibilidade é um fenômeno extremamente importante para o mentalismo. Fenômenos paranormais costumam ser reconhecidos como fenômenos erráticos, isto é, sobre os quais não se tem completo controle.

Dessa maneira, é comum o mentalista, de forma propositada, cometer pequenos erros durante suas demonstrações, pois costumam dar mais veracidade para o show.

Imagine que o mentalista tenha criado uma maneira de induzir o sujeito a "escolher" o ás de copas do baralho. Ainda que o mentalista tenha certeza absoluta de que se trata do ás de copas, é comum eles falarem algo do tipo: "Hmmm... é uma carta vermelha! O naipe é copas, não é?". Após a confirmação do sujeito, ele pode dizer: "Está embaçado. Não consigo identificar se é um sete de copas ou um ás de copas. É um ás de Copas?".

Essas pequenas dúvidas criam uma atmosfera ainda mais real para esses números de mentalismo.

Esses são os princípios básicos por trás do mentalismo. A seguir, veja algumas rotinas bem fáceis de mentalismo, mas muito impressionantes.

Poderes de Uri Geller

Uri Geller (1946–) é um ilusionista israelense naturalizado britânico, conhecido internacionalmente por supostamente possuir poderes de telecinese e telepatia. Ficou mundialmente famoso na década de 1960, por entortar talheres e parar relógios com o poder da mente. Foi desmascarado ao vivo no programa *Tonight Show*, apresentado por Johnny Carson. Na ocasião, Carson, que já havia trabalhado como ilusionista, estava cético em relação aos poderes de Geller. Para desmascará-lo, consultou James Randi, que sugeriu que os talheres fossem fornecidos pela própria produção do programa e que ninguém do grupo de Geller pudesse tocá-los.[80]

80 O acontecimento pode ser visto em: http://bit.ly/1SdIQtf. Acesso em: 22 de novembro de 2015.

A seguir, você vai aprender a reproduzir alguns dos truques desse famoso mentalista.

Parando o tempo

Uri Geller, como dito anteriormente, tornou-se popular por ser capaz de parar os relógios, assim como de iniciá-los usando, na teoria, o poder da mente. Apesar de impressionante, o truque é muito simples e se baseia no uso de um ímã para parar o funcionamento do relógio. Existem ímãs feitos de neodímio, em forma de disco e do tamanho de baterias de relógio, que podem ser facilmente escondidos debaixo do anel do mentalista ou em seu cinto. Se quiser algo mais simples, pode simplesmente comprar um anel feito de neodímio.

Reprodução

Matemágica

Desde a infância, desafios de matemática ou de lógica sempre me intrigaram. Decifrar um problema de lógica ou de matemática nos dá uma satisfação incomparável. Muitos dos truques de mentalismo baseiam-se em propriedades matemáticas. A seguir, você aprenderá alguns deles.

Quadrado mágico

Quadrados mágicos são uma das mais divertidas curiosidades do mundo da matemática recreativa. Amados por matemáticos, mágicos e artistas, os quadrados mágicos têm feito as pessoas coçar a cabeça por pelo menos 3.500 anos.

A apresentação funciona da seguinte maneira: você pedirá que um espectador cite um número de 1 a 50. Suponha que ele tenha escolhido o número 35. Nesse caso, você imediatamente escreveria o quadrado abaixo:

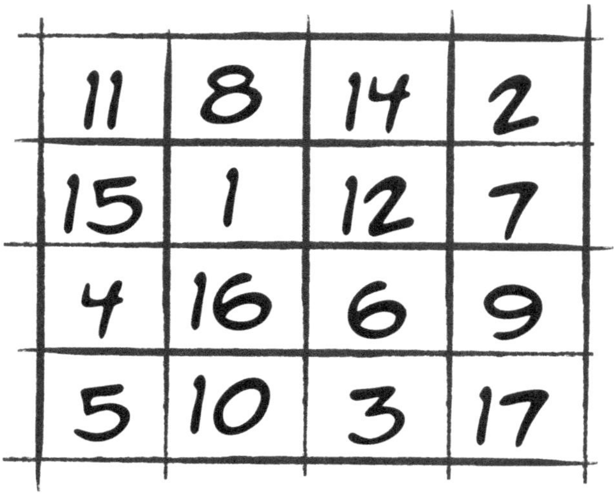

11	8	14	2
15	1	12	7
4	16	6	9
5	10	3	17

Se você observar qualquer linha, coluna, diagonal ou até mesmo os quatro quadrantes, a soma sempre será 35.

11	8	14	2
15	1	12	7
4	16	6	9
5	10	3	17

11 + 8 + 14 + 2 = 35

15 + 1 + 12 + 7 = 35

4 + 16 + 6 + 9 = 35

5 + 10 + 3 + 17 = 35

11	8	14	2
15	1	12	7
4	16	6	9
5	10	3	17

11 + 15 + 4 + 5 = 35

8 + 1 + 16 + 10 = 35

14 + 12 + 6 + 3 = 35

2 + 7 + 9 + 17 = 35

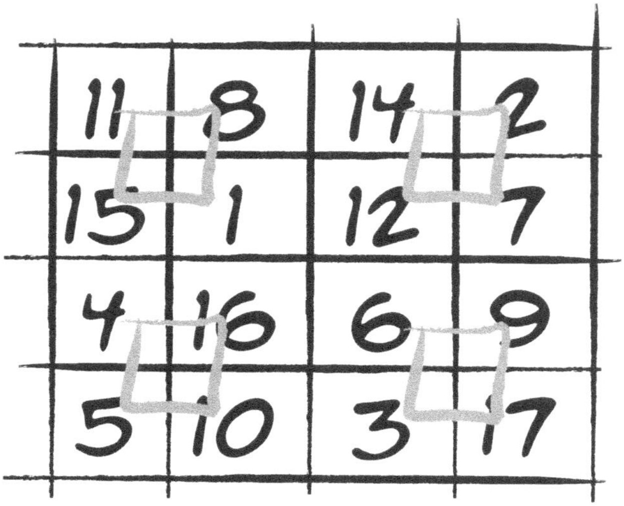

11 + 8 + 15 + 1 = 35

14 + 2 + 12 + 7 = 35

4 + 16 + 5 + 10 = 35

6 + 9 + 3 + 17 = 35

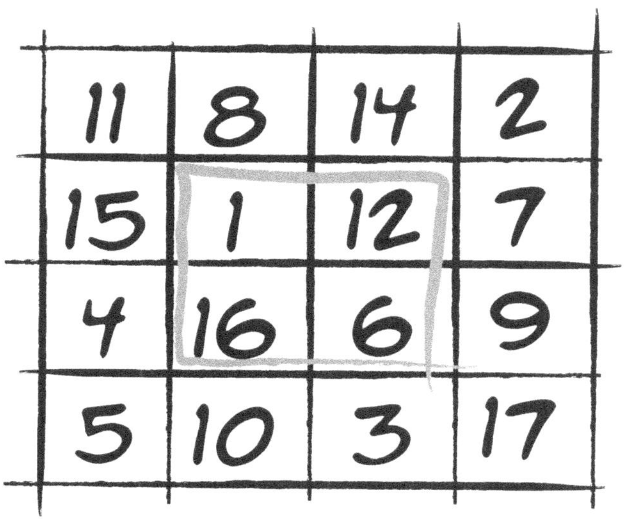

1 + 12 + 16 + 6 = 35

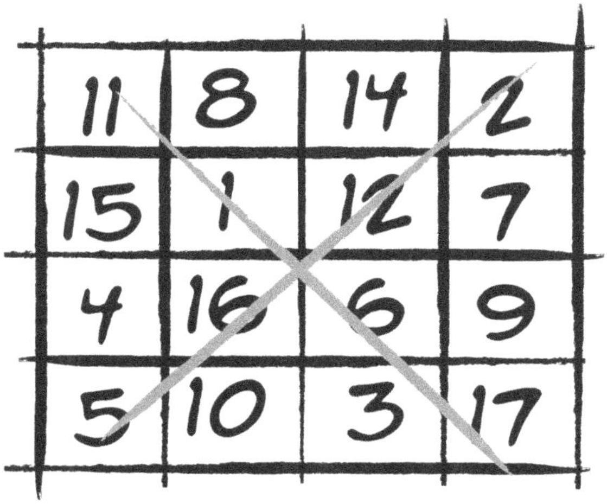

11 + 1 + 6 + 17 = 35

5 + 16 + 12 + 2 = 35

A seguir, você aprenderá como criar um quadrado mágico rapidamente. Durante suas apresentações, o espectador irá dizer-lhe um número e você vai produzir um quadrado mágico 4×4 na frente de todos, usando apenas sua mente. Não há nem ao menos um segundo de atraso: você gastará apenas o tempo necessário para escrever os números. A seguir, veja os segredos.

O QUADRADO PADRÃO

11	8		2
	1	12	7
4		6	9
5	10	3	

Você precisará memorizar esses números e suas respectivas posições. Observe que os números são uma contagem de 1 a 12, sem repetições. Essa sequência numérica será o alicerce de qualquer quadrado mágico que você criar: serão sempre os mesmos números e as mesmas posições.

É isto que torna o truque tão rápido: previamente, você já saberá 75% dos números do quadrado mágico. Os 25% restantes serão completados com o método a seguir.

<table>
<tr><td></td><td></td><td>A</td><td></td></tr>
<tr><td>B</td><td></td><td></td><td></td></tr>
<tr><td></td><td>C</td><td></td><td></td></tr>
<tr><td></td><td></td><td></td><td>D</td></tr>
</table>

Lembra-se do número aleatório dito pelo espectador? Pegue aquele número e subtraia 21. O resultado deverá ser colocado no quadrado A. Os quadrados B, C e D serão preenchidos pelos números consecutivos posteriores ao número A.

Em nosso exemplo, o espectador escolheu o número 35.

35 - 21 = 14.

Agora, você deverá preencher cada quadrado cinza com os números consecutivos: 14, 15, 16 e 17.

Quadrado A recebe o número 14.

Quadrado B recebe o número 15.

Quadrado C recebe o número 16.

Quadrado D recebe o número 17.

11	8	14	2
15	1	12	7
4	16	6	9
5	10	3	17

Algumas considerações

O truque do quadrado mágico funciona perfeitamente para qualquer número entre 22 e 50. Qualquer número abaixo de 22 implicará em números negativos ou em zero. Se o espectador escolher um número acima de 50, o truque será facilmente descoberto. Se você quiser, existe um truque para evitar números muito pequenos. Se alguém falar um número menor que 22, você pode dizer: "Ah! Esse número é muito fácil! Escolha um bem maior, para dificultar".

Se você quiser trabalhar com números menores que 22, você precisará trabalhar com números negativos ou o zero. Por exemplo, suponha que o espectador escolha o número 5. Nesse caso, teremos:

5 - 21 = -16

Então, bastará preencher os quadrados A, B, C e D da seguinte maneira:

Quadrado A = -16

Quadrado B = -15

Quadrado C = -14

Quadrado D = -13

Não existe problema algum em trabalhar com números negativos ou nulos. Aliás, o número pode até ficar mais surpreendente.

Lembre-se de escrever os números em uma ordem aleatória. Se você escrever primeiro os números fixos (11, 8, 2, 1, 12, 7, 4, 6, 9, 5, 10 e 3), deixando os quatro espaços em branco, ficará muito fácil descobrir o truque.

A soma das faces dos dados[81]

Existe uma propriedade muito famosa nos dados: a soma das faces opostas sempre dará 7. Isso permite um truque muito simples, mas interessante.

Suponha que você empilhe três dados aleatoriamente e eles tenham ficado na posição conforme a imagem abaixo.

Suponha que você queira descobrir a soma das cinco faces horizontais ocultas. As faces horizontais são aquelas que estão tocando o chão ou as faces dos outros dados. Nesse caso, você poderia instantaneamente dizer que a soma dessas cinco faces horizontais ocultas é 17.

O truque é muito simples. Como a soma das faces opostas de um dado é sempre 7, a soma das três faces horizontais (incluindo a face superior, que mostra o número 4) sempre será 21 (três vezes o número 7). Assim, para saber a soma das cinco faces ocultas, basta subtrair o número da face superior (nesse caso o 4) do número 21. Ou seja, 21 - 4 = 17.

81 Sugerida pelo mentalista Tom New, do Rio de Janeiro.

Vamos a outros dois exemplos para sanar as possíveis dúvidas.

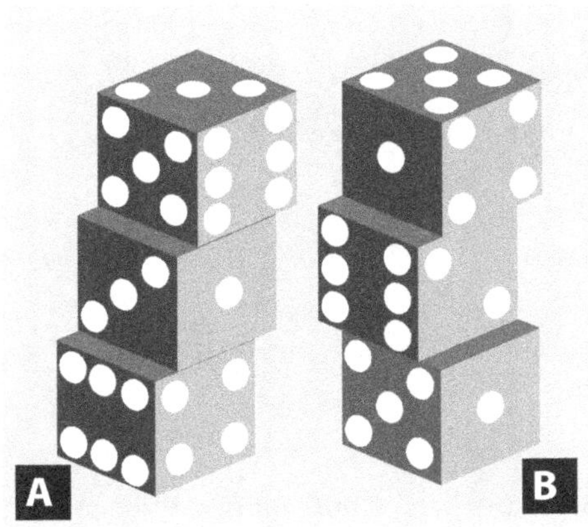

Nesses casos, a soma das faces horizontais ocultas do exemplo A será 18, já que 21 - 3 = 18. No exemplo B, a soma das faces horizontais ocultas será 16, já que 21 - 5 = 16.

A soma incrível

Nesse truque, você vai somar cinco números de três dígitos em poucos segundos. Peça que três espectadores escrevam um número de três dígitos. Solicite que coloquem os números em uma posição adequada para você somá-los. Em nosso caso, usaremos os seguintes números:

283
234
549

Assim que eles acabarem de escrever esses três números, você acrescentará outros dois números, alegando querer tornar a soma ainda mais difícil. O seu primeiro número deverá ser aquele que, somado ao primeiro número (nesse caso, o 283), resultará em 999.

999 - 283 = 716

Dessa maneira, seu primeiro número será o 716. Então, teremos os seguintes números:

283
234
549
716

O próximo deverá ser criado da mesma maneira que o anterior: você colocará o número que, somado ao segundo (nesse caso, o 234), resultará também em 999.

999 - 234 = 765

Então, seu segundo número será 765.

283
234
549 +
716
765

O resultado sempre será 2.000 mais o terceiro número escolhido pelos espectadores (nesse caso, o 549) e menos duas unidades.

Nesse caso, teremos:

549 + 2.000 - 2 = 2.547.

Vamos a outro exemplo. Suponha que eles tenham escolhido os três números abaixo:

891
416
299

Nesse caso, os dois números que você colocará serão 108 e 583, já que:

891 + 108 = 999
416 + 583 = 999

Então, teremos que resolver a seguinte soma:

891
416
299 +
108
583

A resposta será 2.297, já que:

299 + 2.000 - 2 = 2.297.

Matemática védica

Matemática védica é o nome dado a um sistema antigo de cálculos mentais da tradição védica, supostamente baseada nos Vedas (escrituras sagradas da religião hindu). Foram divulgadas por Sri Bharati Krushna Tirthaji Maharaj (1884-1960), entre os anos 1911 e 1918. De acordo com Tirthaji, toda a matemática védica é baseada em dezesseis sutras.[82] Esses sutras seriam métodos para cálculos mentais específicos, cujas fórmulas têm a intenção de descrever a forma como a mente naturalmente funciona, o que permite a realização de cálculos complexos de forma bem rápida.[83]

MULTIPLICAÇÃO MENTAL DE NÚMEROS DE DOIS ALGARISMOS

A multiplicação mental baseia-se no terceiro sutra, chamado *Urdhva-Tiryagbyham*. De acordo com esse sutra, a multiplicação pode ser obtida por meio da soma vertical e diagonal dos produtos. Pode parecer complicado, mas na prática é bem simples. Suponha que você queira realizar a seguinte multiplicação: 31 × 22. Nesse caso, realizaremos as duas multiplicações verticais possíveis: 2 × 1 e 3 × 2. Em seguida, somamos os produtos das diagonais. Veja o esquema a seguir:

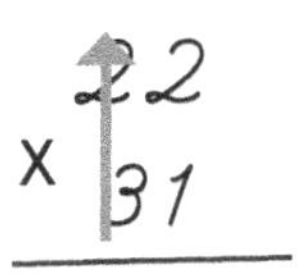	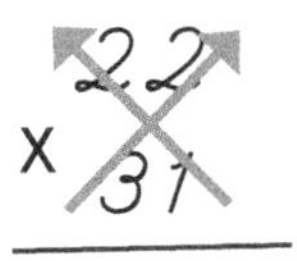	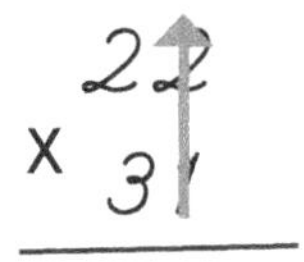
2 x 3 = 6 6 **682**	2 x 1 + 3 x 2 = 2 + 6 8	1 x 2 = 2 2

Ou seja, 31 × 22 = 682.

82 Nenhum desses sutras jamais foi encontrado na literatura védica nem estão de acordo com o conhecimento matemático conhecido da era védica. Alguns pesquisadores alegam que Tirthaji criou esses sistemas e utilizou a cultura védica para divulgá-los. Apesar de toda essa polêmica acerca da origem desses sistemas, é inegável o benefício decorrente do uso dessas técnicas.

83 "Sutra" é a palavra sânscrita que se refere a escritos canônicos sobre uma área de conhecimento específica, como o kama sutra é o livro das artes e técnicas referentes ao Kama, por exemplo. (N.E.)

Às vezes, algumas dessas multiplicações terão resultados maiores que 10 e será necessário fazer a famosa operação de "transferir para a outra casa". Nesses casos, o processo é o mesmo, mas você precisará adicionar cada um desses que "foram para a outra casa" ao algarismo da casa à esquerda. Suponha que você deseja multiplicar 37 × 54.

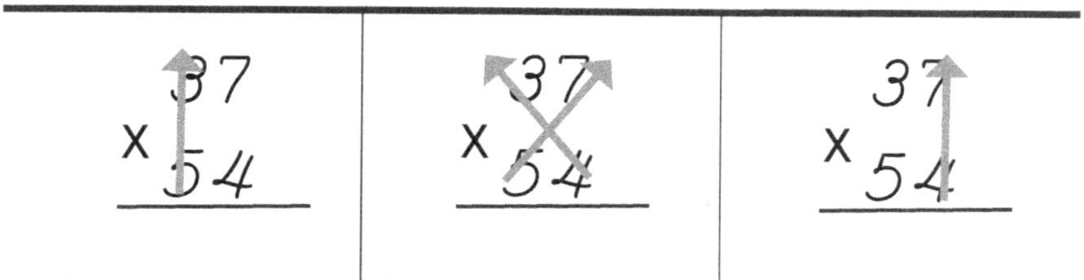

3 x 5 = 15	3 x 4 + 5 x 7 = 12 + 35	7 x 4 = 28
15	47	28

Transferimos cada um para a casa da esquerda
e obtemos o resultado final

1.998
15|47|28
1.998

Para realizar esses cálculos mentalmente, basta enumerar nos dedos cada número que precisa ir à "casa ao lado". Voltemos ao exemplo anterior para facilitar a compreensão. Suponha que você vai começar pelo lado direito, fazendo a multiplicação 7 × 4 = 28. Nesse caso, você escreveria no resultado final apenas o número 8 e memorizaria o número 2 da casa das dezenas nos dedos da mão esquerda.

Enquanto mantém o número 2 nos dedos da mão esquerda, você realiza mentalmente as duas multiplicações do meio e, em seguida, a soma. Após obter o resultado 47, você adicionará os 2 que estavam armazenados em seus dedos, obtendo o número 49. Mais uma vez, você escreverá no resultado final apenas o número 9 e marcará o número 4 em seus dedos.

Finalmente, você fará o produto 3 × 5, obtendo 15. Adicione a esse valor o número 4, que estava guardado em seus dedos. Você obterá o número 19.

Agora, basta escrever o número 19 e você já terá resolvido a multiplicação toda mentalmente.

Multiplicação mental de números de três algarismos

A multiplicação de números de três algarismos segue as mesmas regras. Suponha que você queira multiplicar 254 × 321. Faremos todos os produtos de diagonais e verticais possíveis, conforme o esquema a seguir:

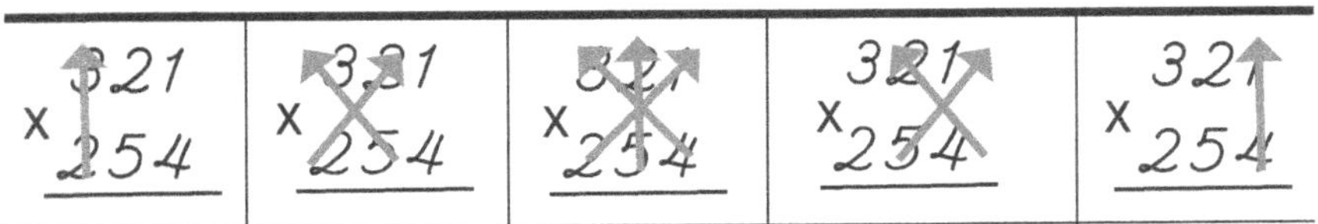

2 x 3	5 x 3 + 2 x 2	4 x 3 + 2 x 1 + 5 x 2	4 x 2 + 5 x 1	4 x 1
6	15 + 4	12 + 2 + 10	8 + 5 = 13	4
	6 19 24		13	4
Após passar cada número "a mais" para a esquerda, eis o resultado final:				
8	1	5	3	4

Logo, o resultado final é 81.534.

Leitura muscular

O termo *muscle reading,* em português, "leitura muscular", foi cunhado, em 1870, pelo neurologista americano George M. Beard, para descrever as ações do mentalista J. Randall Brown, um dos primeiros defensores da arte. A leitura muscular espiritual, ou simplesmente leitura muscular, consiste em uma técnica usada por mentalistas para determinar os pensamentos ou conhecimentos de um sujeito por meio do contato táctil. O mentalista consegue identificar vários pensamentos do indivíduo por meio da observação de respostas musculares sutis e involuntárias que ocorrem enquanto o sujeito fala sobre determinados temas. Esse fenômeno está intimamente ligado ao efeito ideomotor.

Atualmente, um dos maiores especialistas nessa habilidade é o mentalista inglês Banachek (1960–). Autor de vários livros e criador de diversos números de mentalismo, Banachek é diretor da Fundação Educacional de James Randi, que ofereceu um milhão de dólares para quem conseguisse realizar algum fenômeno paranormal em um experimento científico.

Começando a ler pensamentos

Convide um amigo para este exercício. Estando no centro de uma sala, peça para seu amigo mentalizar um dos cantos desse ambiente. Instrua-o a ficar do seu lado direito[84] e segure seu braço esquerdo, mantendo-o estendido e com o cotovelo voltado para baixo. Segure a mão aberta de seu amigo com sua palma da mão esquerda e, com a direita, segure o antebraço dele.

Agora vem a parte mais importante. Enquanto continua segurando o braço dele, peça que ele tente transmitir-lhe telepaticamente o canto da sala em que ele está pensando. É importante que você não aperte muito o braço do seu amigo, pois perderá as informações dos movimentos ideomotores sutis do braço dele. Diga que você dará um passo na direção de cada um dos cantos da sala. Peça para o seu amigo tentar informar, por meio da telepatia, se você está se dirigindo ao canto correto ou errado.

Inicie dando um passo para a direita. Enquanto continua segurando o braço do seu amigo, volte para o centro. Após, dê um passo para a esquerda. Continue segurando o braço dele e repita a operação: dê um passo para a direita, volte para o centro e dê um passo para a esquerda.

Inconscientemente, seu amigo criará uma pequena resistência para ir para o lado errado. Ou seja, se o canto correto for o lado direito, ele mostrará uma resistência para dirigir-se ao lado esquerdo – e você poderá senti-la pelo contato com o braço do seu amigo.

Após identificar o lado correto, restarão apenas dois cantos. Diga para ele continuar transmitindo telepaticamente o canto da sala em que ele está pensando. Enquanto isso, dê um passo em direção a um dos cantos restantes. Em seguida, repita a operação, dando um passo na direção do outro canto.

Suponhamos, por exemplo, que seu amigo esteja pensando desde o início no canto superior direito. Nesse caso, após dar o passo para a direita e o passo para a esquerda, você perceberá que o canto escolhido está do lado direito. Após identificar o lado correto, você dá um passo na direção do canto superior direito, volta para o centro e dá um passo na direção do canto inferior direito. Após repetir a operação, você identificará o canto para o qual seu amigo mostra menos resistência.

84 Presumindo que você seja destro. Caso seja canhoto, inverta os lados das instruções.

Sofisticando a técnica

A técnica anterior funciona muito bem. No entanto, infelizmente, ela é muito óbvia. Após treiná-la várias vezes com seu amigo, tente realizar essa outra variação:

> Segure o punho esquerdo do seu amigo com a mão fechada.
>
> Enquanto isso, levante sua mão esquerda e diga: Pense em algum dos grandes objetos da sala: a televisão, uma mesa, um vaso, um armário, um piano...
>
> *[Obviamente, liste apenas objetos que, na ocasião, encontrem-se na sala. Pode ser qualquer objeto, desde que seja grande e esteja na sala.]*
>
> Deixe-me guiá-lo por aqui. Não me puxe, apenas siga-me. Imagine que minha mão esquerda é sua própria mão.
>
> *[Mostre que sua mão esquerda que está livre.]*
>
> Usando apenas seu pensamento, tente movimentar minha mão esquerda na direção do objeto que você escolheu.
>
> A razão pela qual estou segurando seu pulso é simples: o contato torna mais fácil a propagação das ondas telepáticas. Não se preocupe com o meu corpo, apenas com a minha mão. Se o objeto estiver muito baixo em relação à minha mão esquerda, movimente-a com sua mente para baixo. Se o objeto estiver muito acima dela, movimente-a mentalmente para cima. Imagine que sua mente seja capaz de atuar sobre a matéria e de movimentar minha mão". Com certa prática, devido à resistência no punho do espectador, você conseguirá facilmente identificar a localização do objeto.

Em suas apresentações, Banachek faz algumas variações desse número. Em uma delas, ele entrega um envelope a alguém da plateia, diz que sairá da sala e que, enquanto estiver do lado de fora, o espectador deve pedir a outro membro da plateia para esconder o envelope em seu bolso. Ao retornar à sala, Banachek utiliza a leitura muscular e a linguagem corporal para identificar quem está com o envelope. Assistindo a algumas de suas apresentações, percebi que a linguagem corporal tem papel importante nesse processo. Após fazer a leitura muscular, ele tem alguma noção sobre a possível localização do envelope. No entanto, ao se aproximar da localização do envelope, o sujeito que o escondeu esboça várias microexpressões relacionadas à surpresa, o que favorece o sucesso da rotina.

Adivinhando o número

Nessa apresentação, Banachek solicita que alguém escreva um número qualquer de dois algarismos em um pedaço de papel, sem que ninguém veja. Em seguida, dobra esse pedaço de papel e pede para alguém da plateia escondê-lo. Após isso, ele apresenta o quadro a seguir:

1		2		3
4		5		6
7		8		9
		0		

Banachek pede para o espectador que escreveu o número colocar a mão em seu ombro. Ele explica que identificará um dígito por vez, começando pelo algarismo das dezenas. Mais uma vez, ele levanta uma de suas mãos e solicita ao sujeito que tente, telepaticamente, mover a mão do mentalista em direção ao algarismo em questão. Ao movimentar seu braço de um lado para o outro ou de cima para baixo, Banachek busca identificar os movimentos de resistência que são inconscientemente feitos pelo participante. Uma de suas estratégias é tentar descobrir primeiro a coluna ou a linha do número. Ele diz ao participante: "Mentalize e tente mover minha mão na direção da coluna correta". Ao identificá-la, ele faz o mesmo exercício para descobrir a linha. Depois, basta fazer o cruzamento de linha e coluna para descobrir o primeiro algarismo. Então Banachek repete o processo para descobrir o algarismo das unidades.

Mentalistas costumam tornar esse número um pouco mais complexo, dividindo-o em duas rotinas distintas. Após o sujeito escrever o número, o mentalista pede que alguém esconda o papel enquanto ele estiver ausente da sala. Ao voltar, o mentalista utilizará a leitura muscular para descobrir a localização do papel e, em seguida, os dois algarismos do número secreto.

7. Detecção de mentiras

"Não darás falso testemunho contra o teu próximo."
Êxodo 20:16

Introdução

A enganação é um dos elementos mais essenciais para a vida. Ela acontece em todos os níveis dos genes, das células, dos seres e até mesmo em grupos de indivíduos. Quando digo que a enganação acontece em todos os níveis da vida, quero dizer que os vírus a praticam, assim como as bactérias, as plantas, os insetos e uma grande variedade de outros animais. A enganação é parte de todas as relações fundamentais da vida: parasita e hospedeiro, predador e presa, vegetal e animal, macho e fêmea, vizinho e vizinho, pais e filhos e até mesmo entre nosso organismo e nós mesmos.

Os vírus e as bactérias geralmente utilizam a enganação para ganhar entrada no corpo hospedeiro. Normalmente, fazem isso imitando partes do corpo, de forma a não serem reconhecidos como estranhos. Outros, como o HIV, alteram as proteínas do seu revestimento de forma tão frequente que é praticamente impossível para o organismo conseguir se defender. Muitos predadores também utilizam a enganação para se tornar invisíveis ou mais atraentes para as presas. As plantas carnívoras certamente são os melhores exemplos dessa habilidade.

Por outro lado, as presas frequentemente utilizam algum tipo de enganação para permanecer ilesas. Em geral, as presas enganam seus predadores tornando-se invisíveis em seu ambiente (como os camaleões) ou mimetizando elementos nocivos.

Nas relações humanas, a enganação transforma-se em mentira: sua variação mais sofisticada. De acordo com uma pesquisa,[85] em apenas dez minutos de conversa, contamos uma média de três mentiras. No entanto, mais interessante do que a frequência com que mentimos são os motivos pelos quais o fazemos. Às vezes, mentimos para ganhar respeito dos outros. Por exemplo: quando você está desempregado, mas, se alguém pergunta como andam as coi-

85 WEISS, B.; FELDMAN, R. S. Looking good and lying to do it: deception as an impression management strategy in job interviews. *Journal of Applied Social Psychology*, v. 36, pp. 1070-1086, 2006.

sas, você responde: "Nunca estiveram tão bem!". Outras mentiras nos ajudam a evitar as consequências de cometer algum erro. Também há casos mais nobres: quando mentimos para poupar o sofrimento de alguém. Outras vezes, mentimos para conquistar o coração de alguma pessoa ou até mesmo para manter nossos relacionamentos. Afinal, homens e mulheres sabem o quanto a verdade pode custar caro ao respondermos à pergunta: "Você acha que eu engordei?". Apesar de muitas das nossas mentiras diárias serem inofensivas, algumas podem causar danos a grupos inteiros. Um exemplo das consequências de certas mentiras envolveu um famoso empresário. Na época, ele ergueu um verdadeiro império, baseado principalmente na especulação de bolsas de valores, que o levaram a ter sua fortuna avaliada em cerca de 30 bilhões de reais. No entanto, em menos de um ano, investidores do mundo inteiro perderam enormes quantias com o engodo, já que as ações eventualmente despencaram.

A seguir, você aprenderá um pouco mais sobre como as mentiras funcionam e descobrirá algumas técnicas para evitá-las.

O interrogatório

O homem sentou-se estoicamente numa das extremidades da mesa, elaborando cuidadosamente suas respostas às perguntas do agente do FBI. Ele não era considerado um dos principais suspeitos no caso de assassinato: seu álibi era crível e ele parecia sincero. No entanto, o agente decidiu pressioná-lo apesar disso. Com o consentimento do suspeito, ele fez uma série de perguntas sobre a arma do crime:

- Se você tivesse cometido esse crime, teria usado uma pistola?
- Se você tivesse cometido esse crime, teria usado uma faca?
- Se você tivesse cometido esse crime, teria usado um picador de gelo?
- Se você tivesse cometido esse crime, teria usado um martelo?

Uma das armas, o picador de gelo, foi comprovadamente utilizada no crime. Apesar disso, apenas a polícia tinha posse dessa informação. Assim, somente o assassino poderia saber qual era a verdadeira arma utilizada.

Enquanto o agente do FBI listava as possíveis armas utilizadas, ele observava cuidadosamente o suspeito. Quando o picador de gelo foi mencionado, suas pálpebras rapidamente baixaram e permaneceram baixas até que a próxima arma fosse mencionada. Imediatamente, o agente entendeu o significado daquele movimento de pálpebras: o interrogado acabara de se tornar o principal suspeito do homicídio. Após mais algumas perguntas, o suspeito acabou confessando o crime.

Existem várias aplicações para os estudos envolvendo linguagem corporal. No entanto, entre todos eles, um se destaca: a detecção de mentiras. Por ser um tema que atrai o interesse popular, ele também está cercado de mitos, sendo o mais comum o de que as pessoas supostamente quebram contato visual quando mentem. Na verdade, as pessoas quebram contato visual o tempo todo e isso não possui qualquer relação com a mentira. Aliás, esse mito da quebra de contato ocular é tão arraigado em nossa cultura que ele gera a situação oposta: quando mentem, as pessoas costumam forçar o olhar e evitar a quebra. Assim, uma pessoa que estranhamente mantém contato visual o tempo todo provavelmente está se baseando nesse mito para mentir melhor.

Existem três maneiras de identificar mentiras. A primeira é analisar a linguagem não verbal; em seguida, observar a linguagem verbal; por fim, medir as pequenas respostas fisiológicas, como aumento da pressão arterial, frequência cardíaca, suor das palmas das mãos ou até mesmo a dilatação da pupila. Ainda que tenhamos três técnicas distintas para a identificação de mentiras, nenhuma delas funciona de forma isolada. Por exemplo, você já deve ter ouvido falar do polígrafo – também conhecido como detector de mentiras. Esse aparelho é o responsável por identificar as pequenas mudanças fisiológicas durante algum interrogatório. Ainda que essas mudanças identificadas sejam importantes, elas também poderiam ser espontaneamente produzidas por um suspeito que está nervoso ou ansioso devido a razões completamente inocentes. Assim, a leitura do polígrafo deve ser combinada com outras técnicas, como a análise do comportamento verbal e não verbal.

Durante a mentira, existem três processos que costumam ser desencadeados inconscientemente: processos emocionais, processos de complexidade de conteúdo e processos de tentativa de controle.

Processos emocionais são as emoções que o indivíduo vivencia durante a mentira. As emoções mais comuns experimentadas por um mentiroso são culpa, medo e excitação. A culpa, por exemplo, pode ser causada por mentiras que contrariam os princípios morais do indivíduo. Suponha que você esteja querendo faltar em seu serviço e decide inventar alguma doença. Ainda que essa mentira lhe traga benefícios, é provável que você experimente uma sensação de culpa após mentir.

Já o medo também é bastante comum após o ato de mentir. Ele surge principalmente quando a punição pela descoberta da mentira é muito alta.

Qualquer pessoa que já tenha colado em alguma prova no colégio sabe o quanto pode ser amedrontadora essa prática.

Finalmente, temos a sensação de excitação. Ela costuma surgir quando o objetivo da mentira é simplesmente divertir-se. Por exemplo, suponha que você tenha decidido realizar algum trote telefônico para algum amigo. Enquanto você mente, provavelmente terá uma sensação de excitação. Alguns indivíduos, também conhecidos como mentirosos compulsivos, sentem esse tipo de excitação com qualquer mentira – motivo pelo qual mentem tanto, mesmo quando não têm nenhum ganho aparente com a mentira.

Processos de complexidade dos conteúdos vêm do fato de que a mentira pode ser uma tarefa que exige muito da nossa cognição. Todos nós já percebemos o quanto é difícil manter uma mentira quando somos questionados mais e mais sobre determinada questão, ou quando somos tomados de surpresa.

Os processos de tentativa de controle são aqueles que realizamos para tentar esconder os sinais do ato de mentir. Em outras palavras, nós tentamos nos comportar normalmente, e isso gera um comportamento completamente anormal. Um exemplo disso seriam as pessoas que, ao mentir, buscam manter o contato ocular de maneira ininterrupta. Você provavelmente já ouviu alguém dizer algo do tipo: "Sei exatamente quando meu marido está mentindo". Nesse caso, a pessoa consegue identificar o comportamento anormal decorrente de tentativas de controle.

Em breve, veremos alguns exemplos de tipos de comportamento que costumam denunciar as mentiras. No entanto, é importante ressaltar que conhecer os padrões de comportamento do próprio indivíduo é ainda mais importante do que memorizar padrões comuns a várias pessoas. Por exemplo, suponha que seu melhor amigo costuma ser alguém muito calmo. Nesse caso, a afobação poderia ser um sinal de que ele está mentindo. Veja a seguir algumas dicas para estabelecer uma linha de base comportamental.

Estabelecendo uma linha de base comportamental

Muitos de nós temos algumas manias comportamentais, por exemplo, coçar a orelha ou o nariz com frequência. Porém, esses gestos ocorrem em geral quando uma pessoa mente – mas no caso de pessoas que têm essas manias, isso pode não ser uma regra. Por isso, para medir o nível de conforto ou desconforto de alguém, você precisa estabelecer uma base para seus comportamentos, questionando, por exemplo, como essa pessoa se comporta normalmente. É evidente que, se ela fizer parte do seu convívio, será fácil identificar a sua base comportamental. Em contrapartida, como identificar a linha de base comportamental de pessoas que você acaba de conhecer?

Muitas vezes, nosso objetivo é identificar mentiras ditas por pessoas que acabamos de conhecer, como durante uma entrevista de emprego ou em um interrogatório policial. Porém, nesses casos, não é possível detectar mentiras tendo por base os sinais de nervosismos que expressam, pois nessas situações a maioria das pessoas exibe um nervosismo natural. Assim, o primeiro passo para identificar o padrão comportamental delas é tentar deixá-las o mais relaxadas possível.

No primeiro contato com o sujeito a ser entrevistado, evite questioná-lo diretamente sobre o assunto que realmente lhe interessa. No início, jogue um pouco de conversa fora, comente sobre o clima ou sobre qualquer outro tema aleatório. Ao encontrar-se relaxada, a pessoa entrevistada emitirá sinais comportamentais que indiquem que está tudo bem: os braços vão provavelmente se descruzar e, após algum tempo, essa pessoa acabará se inclinando em sua direção enquanto conversa. Esse é o momento para identificar eventuais manias e outros padrões comportamentais. Apenas após ter traçado esse padrão você deve começar a fazer as perguntas de fato importantes. Ao discutir essas questões relevantes, fique atento a novos padrões não observados anteriormente. Provavelmente, esses serão os comportamentos que denunciarão mentiras. Veja, a seguir, alguns desses comportamentos delatores.

Áreas-chave de comunicação inconsciente

As emoções

Em linhas gerais, a emoção é uma experiência consciente e subjetiva, caracterizada principalmente por expressões psicofisiológicas, reações biológicas e estados mentais. Ela também é influenciada por hormônios e neurotransmissores como a dopamina, noradrenalina, serotonina, oxitocina, cortisol e GABA.

John Keats (1795-1821), poeta inglês, acusava Isaac Newton de ter destruído toda a poesia do arco-íris ao reduzi-lo às cores prismáticas. No entanto, Keats não poderia estar mais errado: os avanços científicos tornam nossa realidade ainda mais poética. Apesar de já reconhecermos vários elementos fisiológicos responsáveis por nossas emoções, nada é capaz de tirar o nosso fascínio diante de cada emoção: raiva, paixão, amor, medo... Nossas emoções são as grandes responsáveis por uma experiência genuinamente humana.

Muito antes do desenvolvimento das línguas propriamente ditas, as emoções de nossos ancestrais eram as responsáveis pela sobrevivência de nossa espécie. Bastava um olhar associado a uma expressão facial para identificar quem era amigo ou inimigo. Até hoje, as expressões faciais possuem grande impacto em nossas relações sociais. O rosto humano oferece uma riqueza de informações socialmente relevantes. Adultos saudáveis rapidamente são capazes de detectar rostos e decodificar todos os tipos de informação, tais como idade, gênero, familiaridade, raça, direção do olhar, emoções etc. A importância da capacidade de leitura facial para a comunicação social não pode ser subestimada. Isso se torna especialmente claro quando certas funções de processamento de rosto são prejudicadas, como em determinadas condições neuropsicológicas (dentre as quais, a prosopagnosia).[86]

Até mesmo recém-nascidos podem distinguir diferentes expressões faciais e agir em resposta a elas de forma diferente: abrindo a boca, mostrando a língua ou franzindo os lábios. Bebês reagem também quando lhe são mostradas fotos com diferentes microexpressões, ficando entediados quando as mesmas expressões são mostradas várias vezes, ou ainda a rostos humanos com pupilas dilatadas, mesmo não reagindo a outros objetos.[87]

Escondendo nossas emoções

"Engula o choro, agora!"

Provavelmente, você já ouviu alguém dizer essa frase a alguma criança que chorava muito. Desde cedo, aprendemos a fingir e a esconder nossas verdadeiras emoções. Todos já usamos um sorriso falso após a decepção amorosa ou até mesmo um olhar calmo que esconde uma fúria contra o chefe. No entanto, essas expressões faciais conflitantes costumam ser identificadas pelas microexpressões.

Microexpressões são expressões faciais com duração entre 4 e 6 centésimos de segundo, que ocorrem quando uma pessoa, deliberada ou inconscientemente, esconde uma emoção.

Suponha que você seja um vendedor de sapatos de uma grande loja e está mostrando vários exemplares a uma cliente. Após experimentar vários pares,

86 Condição neuropsicológica em que a habilidade de reconhecer os rostos está danificada, embora a habilidade de reconhecer objetos possa estar relativamente intacta.

87 FIELD, T. M.; WOODSON, R. W.; GREENBERG, R.; COHEN, C. Discrimination and imitation of facial expressions by neonates. *Science*, 218, 179-181, 1982.

ela simplesmente diz: "Obrigada. Vou dar uma olhada nas outras lojas. Qualquer coisa, eu volto".

O fato de ter perdido ao menos uma hora com uma cliente que não comprou nada lhe deu muita raiva. No entanto, você procura esconder seus reais sentimentos respondendo: "Claro! Estarei aqui".

Ainda que você tenha disfarçado sua raiva, provavelmente suas sobrancelhas franziram. Ou seja, o movimento de franzir a sobrancelha enquanto estamos com raiva é inconsciente. Nesse caso, um especialista seria capaz de identificar sua raiva. Por mais que tentemos disfarçar o que realmente sentimos, é muito difícil reproduzir conscientemente, em nosso rosto, todos os sinais genuínos relacionados às emoções.

As expressões faciais involuntárias relacionadas às emoções são o produto da evolução. Aliás, muitas expressões faciais humanas são as mesmas observadas nas faces de outros primatas. Dessa maneira, grande parte das expressões faciais indicadoras de emoções – pelo menos aquelas indicando felicidade, medo, raiva, nojo, tristeza e angústia – são universais. Ou seja, essas expressões faciais são as mesmas para todas as pessoas, independentemente da idade, do gênero, raça ou cultura.

Imagens: Shutterstock

Surpresa

Imagens: Shutterstock

Medo

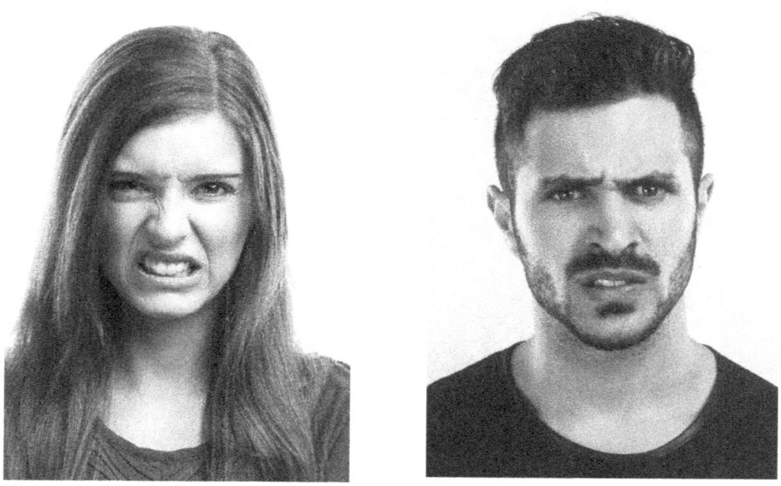

Nojo

Imagens: Shutterstock

Raiva

Alegria

Imagens: Shutterstock

Tristeza

As expressões faciais são a mais rica fonte de informações sobre emoções, revelando nuances indicadoras de sentimentos momentâneos. Em geral, o rosto pode denunciar:

- **Qual emoção é vivenciada:** raiva, medo, tristeza, desgosto, angústia, felicidade, contentamento, excitação, surpresa e desprezo podem ser transmitidas por meio de expressões completamente distintas;
- **Se existem emoções ocorrendo simultaneamente:** nesse caso, a face registra elementos de cada uma dessas emoções;
- **A força da emoção vivenciada:** cada emoção pode variar em intensidade. Ou seja, a raiva possui um espectro de intensidade que varia entre um "pequeno aborrecimento" até alcançar o nível de "fúria".

Mas, conforme dito anteriormente, o rosto não é apenas um sistema de sinais emocionais involuntários. À medida que envelhecem, as pessoas aprendem regras de exibição para seus sentimentos, as quais variam de cultura para cultura e são as responsáveis pela falsa impressão de que as emoções não são universais.

Uma das expressões faciais involuntárias é o sorriso. Aliás, se o ato de sorrir não fosse involuntário, cegos de nascença jamais poderiam sorrir. No entanto, apesar de ser inato, com o passar dos anos aprendemos a simular o sorriso. A principal diferença entre o sorriso verdadeiro e o falso são os músculos envolvidos durante a ação. O sorriso falso costuma envolver apenas os lábios. Em contrapartida, o sorriso verdadeiro[88] envolve não apenas os lábios, mas também as bochechas e os olhos.

Emoções conflitantes, como raiva ou repulsa, podem arrastar-se momentaneamente em um sorriso falso.

Em um estudo, Paul Ekman constatou um fato bastante interessante envolvendo o uso da simulação de sorriso para mascarar emoções verdadeiras. Em seu experimento, Ekman descobriu que, quando algum japonês assistia sozinho a algum filme extremamente emocional, suas expressões faciais eram as mesmas daquelas mostradas pelos norte-americanos quando submetidos ao mesmo filme. No entanto, quando os japoneses assistiam aos mesmos filmes, mas acompanhados de alguma figura de autoridade familiar, essas expressões eram suprimidas pelo uso de algum sorriso educado.[89] Ou seja: as regras de exibição das nossas emoções são realmente culturais. No entanto, as emoções vivenciadas realmente são universais.

Sinais indicadores de mentiras

Além de tentar mascarar nossas verdadeiras emoções, nós também tentamos mentir durante uma conversa. Geralmente, as mentiras encontradas em nosso discurso também disparam uma série de emblemas faciais e microexpressões. Veja a seguir alguns desses movimentos.

Rosto

Há milhares de expressões faciais, cada uma completamente diferente da outra. A maioria dessas expressões não tem nada a ver com nossas emoções. Muitas delas são chamadas de sinais de conversação e são utilizadas para enfatizar algo que é dito ou indicar figuras de linguagem (como a ironia). Provavelmente, você já foi mal interpretado em alguma conversa realizada por escrito

88 Também conhecido como "sorriso Duchenne", em homenagem ao pesquisador que identificou essas diferenças.

89 EKMAN, Paul. *Face of man*. Nova York: Garland STPM Press, 1980, pp. 133-36.

na internet. Esses equívocos ocorrem principalmente pela ausência dos sinais de conversação.

Além desses sinais, também emitimos uma série de emblemas faciais, que são símbolos universais de comunicação. Um exemplo é a piscadela com apenas um dos olhos. Em todas as culturas, esse gesto costuma ter dois significados: saudação (principalmente em flertes) ou conspiração (por exemplo, "Isso é mentira, mas apenas nós dois sabemos disso!"). Nas próximas páginas, você aprenderá os emblemas faciais mais relacionados com o ato de mentir.

Finalmente, temos as microexpressões que indicam nossas emoções. Para a detecção de mentiras, costumamos identificar os emblemas faciais e as emoções reprimidas. Após dispararmos alguma mentira, nossa face geralmente conterá duas mensagens diferentes: aquilo que queremos fingir e aquilo que queremos esconder. Ou seja, algumas expressões faciais procuram corroborar com a mentira, fornecendo informações falsas – esses são os sinais que disparamos voluntariamente. No entanto, outras expressões faciais denunciam nossas verdadeiras emoções e as disparamos involuntariamente. Às vezes, uma mesma expressão facial pode conter sinais ambíguos. Dessa maneira, o rosto é um sistema dual, incluindo expressões que são deliberadamente escolhidas e outras que ocorrem espontaneamente, às vezes sem que a própria pessoa perceba esse sinal.

Estudos envolvendo doentes com diferentes tipos de danos cerebrais indicam que as expressões voluntárias e involuntárias do rosto envolvem diferentes partes do cérebro. Os pacientes que têm danos em uma parte específica do cérebro, envolvendo o que é chamado de sistemas neurais piramidais, são incapazes de sorrir voluntariamente. Em contrapartida, esses pacientes sorriem de maneira inconsciente ao ouvir uma piada ou se divertir de outra maneira. Esse padrão de comportamento é invertido para pacientes que tenham sofrido danos em outras partes do cérebro: os sistemas não piramidais. Esses pacientes podem produzir um sorriso voluntário, mas não sorriem quando estão realmente felizes. Dessa maneira, pacientes com danos nas regiões piramidais possuem muita dificuldade em mentir, já que não conseguem inibir expressões faciais espontâneas. Por outro lado, pacientes com danos nos sistemas não piramidais são bons mentirosos naturais, já que conseguem inibir as expressões faciais inconscientes.

Tampar a boca

O gesto de tampar a boca é instintivo e surge pela primeira vez na infância. Após contar uma mentira, a pessoa cobre sua boca com a mão, como se tentasse impedir que as palavras enganosas saíssem. Esse gesto costuma possuir algumas variações: pode ser apenas alguns dedos cobrindo os lábios ou até mesmo todo o punho. No entanto, o significado é sempre o mesmo.

Cobrir a boca também pode ter outro significado. Por exemplo, imagine que você está sendo interrogado sobre um delito. Após ouvir uma pergunta, você tampa sua boca com o punho. Nesse caso específico, a ação de tampar a boca pode significar que você está escondendo algo importante ou não está sendo honesto com seus sentimentos.

Tocar o nariz

Provavelmente, esse é um dos sinais de mentira mais comuns, parecendo uma variação disfarçada do gesto de tampar a boca. Às vezes, esfregamos o nariz para aliviar uma coceira. No entanto, é fácil identificar a diferença entre esses sinais. Geralmente, a coceira simples traz alívio ao coçarmos o local. Em contrapartida, o toque no nariz dura muito pouco tempo para ser capaz de realmente aliviar alguma coceira.

Mais uma vez, se o orador é aquele que mostra o gesto de tocar o nariz, significa que ele poderia estar mentindo. Por outro lado, se é o ouvinte quem faz isso, então ele poderia simplesmente estar duvidando daquilo que ouve.

Esse sinal aparece frequentemente em julgamentos ou discursos de pessoas famosas.

Coçar o pescoço

Outro emblema facial relacionado à mentira é coçar o pescoço, logo abaixo do lóbulo da orelha, em torno de cinco vezes. Isso também é frequentemente um sinal de duvidar ou discordar com o que foi dito. Lembre-se: esses gestos precisam ser interpretados em conjunto com outros sinais e movimentos, e jamais podem ser considerados isoladamente.

Esfregar um dos olhos

Esfregar um dos olhos é um dos sinais de mais fácil identificação de mentiras. Se ele for realizado pelo orador, há grandes chances de ele estar mentindo. Caso seja realizado pelo ouvinte, grandes chances de ele não acreditar naquilo que está ouvindo.

Programação neurolinguística e movimentos oculares

Apesar da existência do mito de quebra de contato visual, existem alguns movimentos oculares que realmente podem delatar mentiras. Esses movimentos foram identificados por Richard Bandler e John Grinder, criadores da programação neurolinguística (PNL).

A PNL é um conjunto de técnicas e crenças que os adeptos usam principalmente como uma abordagem de psicoterapia, cura, comunicação e desenvolvimento pessoal. Seus métodos são muito variados e incluem técnicas de visualização, hipnose e linguagem corporal, entre outras. A PNL foi proposta em 1973 por Richard Bandler e John Grinder como um conjunto de modelos e princípios para descrever a relação entre a mente (neuro) e a linguagem verbal e a não verbal (linguística) e como sua interação pode ser programada (programação) para afetar a mente, o corpo e o comportamento de um indivíduo. A PNL costuma ser descrita por seus criadores como a "mágica terapêutica" e "o estudo da estrutura da experiência subjetiva". A base da PNL é a possibilidade de utilizar a linguagem e o pensamento para alterar crenças e comportamentos.

Nós conhecemos o mundo exterior pela experimentação direta por meio de nossos sentidos. No entanto, frequentemente, pensamos em imagens e palavras para, mentalmente, reviver experiências passadas ou até mesmo vivenciar experiências imaginárias. Por exemplo, suponha que você esteja relembrando alguma antiga festa de aniversário. Nesse caso, você está utilizando o pensamento para recriar várias sensações relacionadas a essa lembrança. Apesar de frequentemente utilizarmos o pensamento para recriar experiências passadas, também podemos utilizar nossa imaginação para criar situações futuras ou irreais. Por exemplo, você pode usar seu pensamento para imaginar como seria a sensação de voar ou de pular de paraquedas.

Segundo a PNL, de acordo com o tipo de pensamento, surgem movimentos oculares involuntários, denominados "movimentos oculares laterais". Veja o significado desses movimentos na próxima figura (a ilustração considera que você está de frente à pessoa que move os olhos).

POSIÇÕES DOS OLHOS AO OBSERVARMOS UMA OUTRA PESSOA

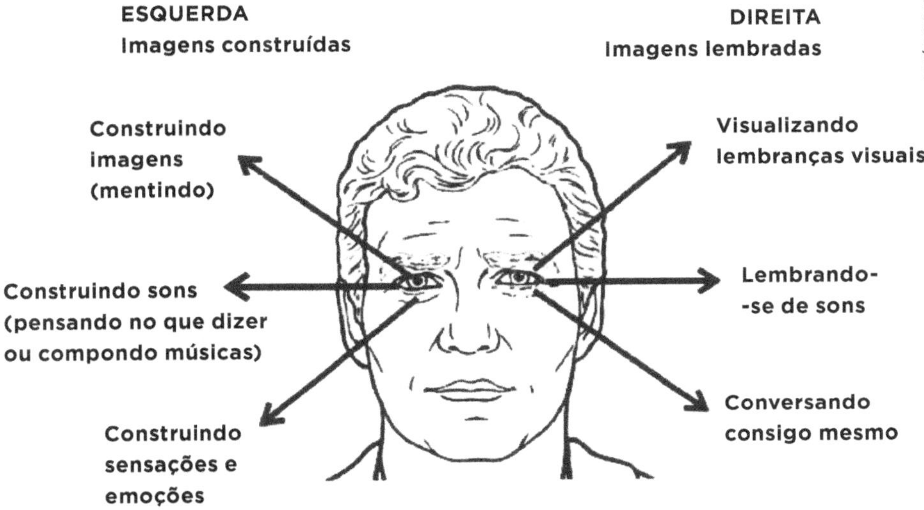

Reprodução

Baseando-se no movimento lateral ocular,[90] movimentos oculares direcionados para cima e para a direita significam que o indivíduo está criando alguma imagem mental. Ou seja, estaria elaborando alguma mentira. Em contrapartida, se o indivíduo olhar para cima e para a esquerda, ele estaria realmente se lembrando de alguma imagem mental e, consequentemente, estaria falando a verdade.

Existem indícios de que isso realmente seja verdade para algumas pessoas. No entanto, isso não significa que o método seja aplicável a qualquer um. Caso você queira utilizar essa técnica de identificação de mentiras, é preciso que você tenha certeza de que o indivíduo responda a ela. Uma boa forma de se identificar a existência desses padrões oculares é realizar perguntas que você tem certeza de que são verdadeiras ou falsas e buscar por algum tipo de padrão ocular. Assim, ainda que não seja uma técnica infalível, é uma boa ferramenta para guardar em seu arsenal de identificação do comportamento não verbal.

90 O movimento dos olhos e seu significado foram teorizados por Richard Bandler e John Grinder e descritos no livro *Sapos em príncipes*. São Paulo: Summus, 1982.

Mãos

Você costuma gesticular muito? Particularmente, sou uma pessoa que gesticula bastante enquanto falo. Aliás, frequentemente, flagro-me gesticulando enquanto converso ao telefone. Ora, por que alguém gesticularia ao conversar com outra pessoa que nem a está vendo? Ainda que nem todas as pessoas façam isso, creio que esse hábito é mais uma prova de que muito da nossa linguagem corporal não é consciente. Muitas vezes, as mãos dão pistas valiosas sobre a forma como a pessoa percebe sua relação com o assunto que está falando ou até mesmo expressam sua verdadeira opinião sobre esse assunto – ainda que o conteúdo de seu discurso não mostre nada disso.

Consideremos, por exemplo, o gesto de apontar para si mesmo ao falar. Esse gesto pode incluir o ato de apontar com o dedo ou o gesto de levar a palma da mão até o peito. Obviamente, é um sinal de que o orador está se referindo a si mesmo. No entanto, essa referência pode ocorrer de forma velada – imagine que um orador está dando uma palestra sobre os problemas da empresa e diz: "Alguém sabe quem é o responsável pelo erro em nossa campanha de publicidade?". Involuntariamente, ele aponta para si mesmo. Isso pode sugerir que ele, de forma inconsciente, sabe que é a fonte do problema. De maneira análoga, nesse caso, o orador também poderia apontar inconscientemente para alguém da plateia. A interpretação desse gesto seria a mesma.

Em outros casos, em meio a uma escolha, os gestos podem indicar alguma preferência do orador entre as opções disponíveis. Por exemplo, suponha que o orador precise apresentar dois projetos de *design* para o *outdoor* da empresa. Nesse caso, suponha que o orador tenha três opções disponíveis. Após apresentar verbalmente as três opções, ele inconscientemente aponta para a segunda opção e pergunta: "Qual vocês acham a mais adequada?"

Outro sinal claro e muito comum é o batucar dos dedos na perna ou no braço de uma cadeira. Esse comportamento tende a sugerir que o indivíduo não quer continuar a conversa. Assim, se você estiver conversando com alguém e essa pessoa começa a batucar, ela provavelmente não está mais prestando atenção ao que você está dizendo. Nesse caso, tente mudar sua abordagem, o assunto ou encerrar a conversa.

Pés e pernas

Quando estamos procurando nos promover, às vezes, nos preocupamos com nosso olhar ou nossos gestos. No entanto, não temos o hábito de monitorar nossos pés e pernas. O primeiro sinal que observamos é o do desconforto: costumamos trocar com maior frequência o posicionamento de nossos pés e pernas quando estamos ouvindo alguma conversa que nos desagrada. O batucar também pode ocorrer com os pés. Quando estamos de pé, costumamos bater um dos pés para indicar impaciência.

Em uma cadeira, se alguém de repente trava seus tornozelos e move seus pés para longe de você, costuma ser um sinal de desconforto. Em interrogatórios, especialistas do FBI costumam usar este sinal para identificar se um suspeito está se sentindo culpado. Se ele mantém essa postura durante o interrogatório, a polícia toma isso como um sinal de que precisa insistir no interrogatório. Outro sinal é quando alguém "trava" seus tornozelos atrás das pernas de uma cadeira – isso pode indicar angústia e postura defensiva. Além disso, segurar os braços da cadeira pode indicar medo ou insegurança.

Análise de conteúdo

Além da linguagem corporal, também podemos identificar as mentiras por meio da avaliação do que está sendo dito.

Explicações breves

Não precisamos ser especialistas em detecção de mentiras para perceber que, quando mentimos, costumamos fazer mais rodeios durante nosso discurso. Contudo, somos o mais superficial possível ao citarmos os pontos críticos relacionados à mentira. Ainda que enrolemos nossa conversa, acabamos por ocultar detalhes extremamente pertinentes.

Outro erro extremamente comum é o de lapsos temporais. Por exemplo, suponha que algumas crianças tenham quebrado um vaso enquanto brincavam. Se questionadas sobre o que aconteceu, elas podem responder: "Estávamos brincando no quintal e depois o vaso quebrou aqui na sala". Ou seja, ainda que elas realmente estivessem brincando no quintal e o vaso realmente tenha sido quebrado na sala, existe um lapso temporal enorme nessa história. Algo similar acontece em interrogatórios quando os suspeitos escondem alguma coisa. Nesses casos, após serem solicitados para dar mais detalhes, eles simplesmente expandem a história nos trechos pouco relacionados com o momento crítico da mentira.

Não usar "eu"

No dia a dia, costumamos fazer referências a nós mesmos o tempo todo: "eu comprei uma roupa nova", "eu fui ao shopping", "eu não estava em casa" etc. Por outro lado, quando mentimos, costumamos evitar o uso dos pronomes na primeira pessoa do singular. Dessa maneira, evitamos ao máximo o uso do "eu" e "meu". Nesses casos, esses pronomes costumam ser substituídos por "nós", "eles", "ninguém", "todos", entre outros. Assim, durante a mentira, procuramos nos distanciar ao máximo daquilo que está sendo contado.

Desacelerando

Você se lembra dos processos de complexidade de conteúdo explicados neste capítulo? Às vezes, devido à complexidade dos conteúdos envolvidos na mentira, o mentiroso costuma diminuir bruscamente a velocidade com que exprime seu discurso. No entanto, supondo que a pessoa altere bruscamente a velocidade de sua fala ao se deparar com algum tópico suspeito, são grandes as chances de ela estar mentindo.

Aliás, devido a essa complexidade de conteúdo, surge outro efeito interessante: o mentiroso frequentemente tem dificuldade em dizer a ordem dos fatos ocorridos de trás para frente. Por exemplo, suponha que um suspeito é solicitado a dizer a ordem de todos os acontecimentos dos quais participou no momento do crime. Em seguida, os interrogadores solicitam ao suspeito que repita todos as ações na ordem inversa. Caso esteja mentindo, essa tarefa terá um esforço cognitivo bem maior.

Sinais de veracidade

É corriqueiro buscarmos sinais que indiquem que as pessoas mentem. No entanto, existem outros que frequentemente ignoramos: os sinais de veracidade. Dessa maneira, se alguém estiver lhe contando uma história que você acredita não ser verdade, vale a pena verificar a existência de alguns desses pontos. A seguir, veja alguns dos critérios mais importantes para identificar a veracidade no discurso.

Estrutura malfeita – histórias verdadeiras, a menos que tenham sido ditas muitas vezes, tendem a ser mal estruturadas temporalmente. Por exemplo, é muito comum uma narrativa verdadeira envolver uma frase como: "Ah, esqueci-me de dizer uma coisa no início da história!". Dessa maneira, a pessoa costuma avançar na história e, em determinado momento, precisa recuar para dar informações básicas sobre algo que ela percebe que está prestes a chegar. Da mesma forma, uma pessoa pode muito bem não contar a história desde o início, mas começar a partir de um ponto essencial e, posteriormente, preencher a história com outros dados relevantes. É importante salientar que esses saltos não criam lapsos cronológicos: eles simplesmente alteram a ordem dos elementos relatados.

Quantidade de detalhes – histórias verdadeiras costumam ser recheadas de detalhes. Conforme visto anteriormente, não costumamos inserir detalhes ao contarmos alguma história falsa.

A incorporação contextual – isso ocorre quando a pessoa relaciona o evento a situações rotineiras. Por exemplo: "Eu estava indo à padaria, como faço todos os dias, e vi seu marido beijando outra mulher no supermercado de frente à panificadora". Não é comum essa contextualização ao relatarmos um discurso mentiroso.

Reprodução dos diálogos – algumas pessoas têm o hábito de reproduzir os diálogos enquanto contam alguma história. Ainda que tenhamos esse hábito, dificilmente fazemos isso enquanto mentimos. Por exemplo, imagine que você está contando sobre sua experiência no primeiro dia de faculdade. Ao relatar sua experiência, você diz: "Gostei muito da aula! No entanto, ao final, o professor ameaçou: 'Estudem bastante! Caso contrário, não passarão na minha disciplina'". Esse tipo de reprodução de diálogos dificilmente ocorre enquanto mentimos.

Relatório sobre sentimentos – ao contarmos histórias verdadeiras, costumamos dar atenção especial para nossos pensamentos ou sentimentos durante o evento relatado. Dessa maneira, é comum dizermos: "Eu estava muito apreensivo", "eu estava muito feliz" etc. Além disso, é comum contarmos o que pensamos naquele momento. Por exemplo: "Naquele momento, estava pensando em como resolver aquele problema"; ou: "Naquela hora, não conseguia pensar em mais nada" etc.

Correções espontâneas – uma das principais características de nossa memória é sua falibilidade. Dessa maneira, no discurso verdadeiro, é comum que façamos espontaneamente várias pequenas correções em nossa história. Veja um exemplo de como essas correções surgem: "Ah, eu estava comprando um remédio na farmácia no momento em que ele me ligou. Opa, me desculpe! Na verdade, depois de ir na farmácia, fui até a padaria. Enquanto comprava pães, o meu celular tocou". Além das correções espontâneas, costumamos admitir que nossa memória está falha e que nosso depoimento pode não estar preciso.

Não use as ferramentas isoladamente

Obviamente, os critérios de identificação de veracidade não são infalíveis. Ou seja, ao identificarmos mentiras, precisamos utilizar simultaneamente várias ferramentas descritas neste capítulo. Então, tome cuidado antes de tirar conclusões precipitadas. Ainda que a identificação de mentiras seja fascinante, apenas a prática vai lhe dar a habilidade de identificar as mentiras nos mais variados contextos.

8. Considerações finais

"A melhor coisa sobre o passado é que ele já acabou. A melhor coisa sobre o futuro é que ele ainda está por vir. A melhor coisa sobre o presente é que ele está acontecendo aqui e agora."
Richard Bandler, criador da programação neurolinguística (PNL)

As duas pulgas

Duas pulgas estavam conversando, e uma comentou com a outra:
– Sabe qual é o nosso problema? Nós não voamos, só sabemos saltar. Daí, quando somos percebidas pelo cachorro, nossa chance de sobrevivência é zero. É por isso que existem muito mais moscas do que pulgas.
Então, após essa constatação, elas contrataram uma mosca como consultora, entraram num programa de reengenharia de voo e saíram voando.
Passado algum tempo, a primeira pulga falou para a outra:
– Quer saber? Voar não é o suficiente, porque ficamos grudadas ao corpo do cachorro e nosso tempo de reação é bem menor do que a velocidade da coçada dele. Temos de aprender a fazer como as abelhas, que sugam o néctar e levantam voo rapidamente.
E elas contrataram o serviço de uma abelha, que lhes ensinou a técnica do "chega-suga-voa". Funcionou, mas não resolveu. A primeira pulga explicou o porquê:
– Nossa bolsa para armazenar sangue é pequena, por isso temos de ficar muito tempo sugando. Escapar, a gente até escapa, mas não estamos nos alimentando direito. Temos de aprender como os pernilongos fazem para se alimentar com aquela rapidez.
E um pernilongo lhes prestou uma consultoria para incrementar o tamanho do abdômen. Problema resolvido, mas por poucos minutos. Como tinham ficado maiores, a aproximação delas era facilmente percebida pelo cachorro, e elas eram espantadas antes mesmo de pousar. Foi aí que encontraram uma saltitante pulguinha:

– Ué, vocês estão enormes! Fizeram plástica?

– Não, reengenharia. Agora somos pulgas adaptadas aos desafios. Voamos, picamos e podemos armazenar mais alimento.

– E por que é que estão com cara de famintas?

– Isso é temporário. Já estamos fazendo consultoria com um morcego, que vai nos ensinar a técnica do radar. E você?

– Ah, eu vou bem, obrigada. Forte e sadia.

Era verdade. A pulguinha estava viçosa e bem alimentada. Mas as pulgonas não quiseram dar a "pata a torcer":

– Mas você não está preocupada com o futuro? Não pensou em uma reengenharia?

– Quem disse que não? Contratei uma lesma como consultora.

– O que as lesmas têm a ver com as pulgas?

– Tudo. Eu tinha o mesmo problema que vocês duas. Mas, em vez de dizer para a lesma o que eu queria, deixei que ela avaliasse a situação e me sugerisse a melhor solução. E ela passou três dias ali quietinha, só observando o cachorro e, então, me deu o diagnóstico.

– E o que a lesma sugeriu?

– Ela me disse: "Não mude nada. Apenas sente no cocuruto do cachorro. É o único lugar que a pata dele não alcança.[91]

Muitas vezes, buscamos as soluções mais mirabolantes para nossos problemas. No entanto, na maior parte das vezes, a solução pode ser bem mais simples do que você imagina. Às vezes, basta uma mudança de perspectiva para que tudo possa mudar completamente.

Se quer emagrecer, não compre um tênis novo

Frequentemente, vejo as pessoas esperando o momento certo para realizar seus sonhos. Se querem ter filhos, esperam o momento financeiramente perfeito. Se querem aprender inglês, esperam poder viajar para o exterior. Se querem emagrecer, aguardam até que possam ir ao nutricionista, ao endocrinologista e ao educador físico.

91 Texto extraído de http://www.metaforas.com.br/as-duas-pulgas. Acesso em 12 de fevereiro de 2016.

Não existe nada de errado em querer uma preparação perfeita. No entanto, às vezes, superestimamos as condições ideais para começar qualquer projeto. Ou seja, se você quiser emagrecer, não espere o médico, o nutricionista, o educador físico e o fisioterapeuta. Se quiser emagrecer, você também não precisa esperar ter condições financeiras para comprar um tênis sofisticado e um monitor cardíaco de última geração. Se você já fez um *check-up* e sabe que está tudo bem, simplesmente saia de casa e corra! Obviamente, a ajuda de todos os outros profissionais vai otimizar seus resultados. No entanto, não deixe que a procrastinação vença. O melhor dia para começar a ser feliz e viver sua vida é hoje. Além disso, os primeiros passos em direção ao sucesso são geralmente bem simples: basta começar.

Bibliografia

ANDREWS, S. M. *Who, me?: how to choose the best volunteers*. Pasadena: World's Fastest Hypnotist Sean Michael Andrews, 2014.

ASCH, S. E. Effects of group pressure upon the modification and distortion of judgments. In: GUETZKOW, H. *Groups, leadership, and men*. Pittsburgh, PA: Carnegie Press, 1951.

BANDLER, R.; GRINDER, J. *Sapos em príncipes: programação neurolinguística*. São Paulo: Summus Editora, 1982.

BAUER, S. *Hipnose ericksoniana passo a passo*. Campinas: Editora Livro Pleno, 2000.

BENHAM, G.; NASH, M. R. The truth and the hype of hypnosis. In: *Scientific mind and tought*, v. 16, n. 2, 2005.

BERNS, G. S.; CHAPPELOW, J.; ZINK, C. F.; PAGNONI, G.; MARTIN-SKURSKI, M. E.; RICHARDS, J. Neurobiological correlates of social conformity and independence during mental rotation. *Biological psychiatry*, v. 58, n. 3, p. 245-253. 2005.

BROWN, D. *Tricks of the mind*. London: Channel 4 Books, 2006.

CARREIRO, A. *Janela da alma: hipnose e psicoterapia, etiologia e práxis*, 2007.

CHASE, J. *Deeper and deeper*. Devon: Academy of Hypnotic Arts, 2005.

EKMAN, P. *Face of man*. Nova York: Garland STPM Press, 1980.

ELMAN, D. *Hypnotherapy*. Glendale: Westwood Publishing Co, 1977.

FACIOLI, A. *Hipnose: fato ou fraude?*. Campinas: Átomo Editora, 2006.

FERREIRA, M. V. C. *Hipnose na prática clínica*. São Paulo: Atheneu, 2003.

FIELD, T. M.; WOODSON, R. W.; GREENBERG, R.; COHEN, C. Discrimination and imitation of facial expressions by neonates. *Science*, v. 218, p. 179-181, 1982.

FREUD, S. *Obras psicológicas completas de Sigmund Freud*. Rio de Janeiro: Imago Editora, v. XI, 1975.

GANDHI, B; OAKLEY, D. A. Does "hypnosis" by any other name smell as sweet? The efficacy of "hypnotic" inductions depends on the label "hypnosis". *Consciouness & Cognition*, n. 2, v. 14, jun. 2005, pp. 304-315.

GUÉGUEN, N. Women's bust size and men's courtship solicitation: a field experiment. *Body Image*, 4, 2007, pp. 386–390.

__________. Bust size and hitchhiking: a field study. *Perceptual and Motor Skills*, 105, 2007, pp. 1294–1298.

HILGARD, E. R. A neodissociation interpretation of hypnosis. In: LYNN, S. J.; RHUE, J. W. (eds.) *Theories of hypnosis: current models and perspectives*. New York: Guilford Press, 1991, p. 83-104.

__________. A neurodissociation interpretation of pain reduction in hypnosis. *Psychological Review*, v. 80, p. 396-411, 1973.

__________. *Hypnotic susceptibility*. New York: Harcourt, Brace & World, 1965.

__________. Hypnotic susceptibility scales under attack: an examination of Wetzenhoffer's criticisms. *International Journal of Clinical and Experimental Hypnosis*, v. 29, n. 1, p. 24-41, 1981.

HOBBES, T. *Leviatã ou matéria, forma e poder de um Estado eclesiástico e civil*. São Paulo: Nova Cultural, 2004.

HUNTER, R. *The art of hypnosis*: mastering basic techniques. Carmarthen: Crown House, 2010.

KASSIN, S.; FEIN, S.; MARKUS, H. R. *Social psychology*. Stanford: Cengage Learning, 2013.

KEPLER, L. *O hipnotista*. São Paulo: Porto Editora, 2014.

KIRSCH, I.; SILVA, C. E.; COMEY, G.; REED, S. A spectral analysis of cognitive and personality variables in hypnosis: empirical disconfirmation of the two-factor model of hypnotic responding. *Journal of Personality and Social Psychology*, v. 69, n. 1, p. 167-175.

LOFTUS, E. Creating false memories. In: *Scientific American*, v. 277, n. 3, pp. 70-75.

MCGILL, O. *The new encyclopedia of stage hypnotism*. Carmarthen: Crown House Publishing, 1996.

MCRANEY, D. *Você não é tão esperto quanto pensa*. São Paulo: Leya, 2012.

MILGRAM, S. *Obedience to authority*: *an experimental view*. New York: Harper & Row, 1974.

PIATELLI-PALMARINI, M. *Inevitable Illusions: how mistakes of reason rule our minds*. Nova Jersey: Wiley, 1996.

PUENTES, F. *Auto-hipnose: manual do usuário*. Editora Canaun, 2001.

R. A., J. *Hipnose & Bíblia*. E-book disponível em: http://bit.ly/100dKt6. Acesso em: 22 de novembro de 2015.

ROTH, E. *Hipnotismo prático*. São Paulo: Ediouro, 1969.

ROUDINESCO, E.; PLON, M. *Dicionário de psicanálise*. Rio de Janeiro: Zahar, 1998.

SKINNER, B. F. *O comportamento verbal*. São Paulo: Cultrix, 1978.

WEINER, I. B.; FREEDHEIM, D. K. *Handbook of Psychology: history of psychology*. Nova Jersey: John Wiley & Sons, 2003.

WEISS, B.; FELDMAN, R. S. Looking good and lying to do it: deception as an impression management strategy in job interviews. *Journal of Applied Social psychology*, v. 36, pp. 1070-1086, 2006.

WEISSMANN, K. *O hipnotismo*: *história, teoria e prática da hipnose*. Rio de Janeiro: Prado, 1958.

WEITZENHOFFER, A. M. *The practice of hypnotism*. Nova Jersey: Wiley, 1989.

WISEMAN, R. *Paranormality*: *why we see what isn't there*. Londres: Spin Solutions Ltd, 2011.

TIPOGRAFIA	Amplitude Comp, Adobe Garamond Pro
PAPEL DE MIOLO	offset 90 g/m²
PAPEL DE CAPA	cartão 250g/m²
IMPRESSÃO	imprensa da fé